JOHN GREEN

BUSCANDO A ALASKA

Traducción de Cecilia Aura Cross

CASTILLO DE LA LECTURA

A mi familia: Sydney Green, Mike Green y Hank Green

He intentado tanto hacer lo correcto.
GROVER CLEVELAND
Últimas palabras del presidente estadounidense

ANTES

CIENTO TREINTA Y SEIS DÍAS ANTES

Una semana antes de que dejara a mi familia, la Florida y el resto de mi vida anterior para irme a un internado de Alabama, mi madre insistió en darme una fiesta de despedida. Decir que yo tenía pocas expectativas sería desestimar demasiado el asunto. Aun cuando me vi más o menos forzado a invitar a todos mis "amigos de la escuela", es decir, a la muchedumbre heterogénea de teatro y los "matados" de la clase de inglés con los que me sentaba por una necesidad social en la cavernosa cafetería de mi escuela pública, estaba seguro de que no vendrían. De todas maneras, mi madre perseveró, sumergida en la ensoñación de que yo le había guardado el secreto de mi popularidad todos estos años. Preparó una gran cantidad de aderezo de alcachofas; decoró la sala de nuestra casa con banderolas verdes y amarillas, que correspondían a los colores de mi nueva escuela; compró dos docenas de refrescos con piquete de champaña y los colocó en el borde de la mesa lateral.

Y cuando por fin llegó ese último viernes, cuando mi equipaje estaba casi del todo empacado, se sentó con mi padre y conmigo en el sofá a las 16:56 y esperó con mucha paciencia la llegada de la Caballería del Adiós a Miles. Esta Caballería estuvo conformada por exactamente dos personas: Marie Lawson, una diminuta chica rubia con lentes rectangulares, y su rechoncho (por decirlo con amabilidad) novio, Will.

—Hola, Miles —dijo Marie al sentarse.

—Hola —contesté.

—¿Cómo te fue en las vacaciones de verano? —preguntó Will.

—Bien, ¿y a ustedes?

—Bien. Participamos en *Jesucristo Superestrella*. Yo ayudé con los escenarios. Marie manejó las luces —dijo Will.

—Qué bien —asentí como si supiera de qué se trataba, y con eso terminaron nuestros temas de conversación. Podría haber hecho alguna pregunta acerca de *Jesucristo Superestrella*, excepto que: 1) no sabía lo que era, 2) no me interesaba saberlo y 3) nunca he sido muy bueno en las conversaciones triviales. Mamá, sin embargo, podía sostener conversaciones triviales por horas, así que logró extender la incomodidad preguntándoles sobre su horario de ensayo, cómo había salido la obra y si había sido un éxito.

—Creo que lo fue —dijo Marie—. Asistieron muchas personas, creo —Marie era del tipo de personas que creen mucho.

Por último, Will dijo:

—Bueno, pues solamente pasamos a decirte adiós. Tengo que llevar a Marie a su casa antes de las seis. Diviértete en el internado, Miles.

—Gracias —contesté, aliviado. Peor que hacer una fiesta a la que no asiste nadie es hacer una fiesta a la que sólo asisten dos personas vasta y profundamente aburridas.

Se fueron y entonces me senté junto a mis padres a mirar la televisión en blanco, con la intención de prenderla pero a sabiendas de que no debía hacerlo. Sentía que me miraban y esperaban que me soltara a llorar o algo así, como si no hubiera sabido siempre que así sería esto. Pero sí lo sabía. Sentía su lástima al recoger el aderezo de alcachofas para las papas destinadas a mis amigos imaginarios, pero mis padres eran más dignos de lástima que yo: yo no estaba desilusionado. Se habían cumplido mis expectativas.

—¿Es por esto que te quieres ir, Miles? —preguntó mamá.

Lo medité un momento, sin mirarla.

—Eh, no —dije.

—Bueno, entonces, ¿por qué? —preguntó. No era la primera vez que me lo preguntaba. A mamá no le hacía mucha gracia dejarme ir al internado y me lo hacía saber.

—¿Por mí? —preguntó papá. Él también había asistido a Culver Creek, el mismo internado al que me dirigía, igual que sus dos hermanos y todos sus hijos. Creo que le gustaba la idea de que siguiera sus pasos. Mis tíos me habían contado historias de cuán famoso había sido en la facultad, de cómo se la había pasado armando relajos y al mismo tiempo aprobando con las mejores calificaciones todas sus clases. Esa vida sonaba mejor que la que yo tenía en Florida. Pero no, no era por papá. No exactamente.

—Esperen —entré al estudio de papá y encontré la biografía de François Rabelais. Me gustaba leer biografías de escritores, aunque (como era el caso de Rabelais) nunca hubiera leído nada de su obra. Pasé rápido las páginas hacia el final del libro y encontré una cita subrayada con marcador ("¡Nunca uses un marcador en mis libros!", me había indicado mi papá mil veces; pero, ¿de qué otra manera se supone que encontrarás lo que buscas?).

—Este tipo —dije, de pie en el umbral de la sala—, François Rabelais, era un poeta y sus últimas palabras fueron: "Voy en busca de un Gran quizá". Por eso me voy. No quiero esperar hasta morir para empezar a buscar un Gran quizá.

Eso los calló. Iba en busca de un Gran quizá y sabían, igual que yo, que no lo iba a encontrar entre gente como Will y Marie. Me volví a sentar en el sofá, entre mamá y papá. Papá me abrazó y nos quedamos allí juntos mucho tiempo, hasta que nos pareció bien encender la TV. Luego cenamos aderezo de alcachofas y vimos el History Channel. Y respecto a fiestas de despedida, ésta sin duda podría haber sido peor.

CIENTO VEINTIOCHO DÍAS ANTES

El clima de Florida era bastante cálido, sin duda, y húmedo también. Tan caliente como para que se te pegara la ropa, como si fuera cinta adhesiva, y el sudor se escurriera como lágrimas de la frente a los ojos. Sin embargo sólo hacía calor afuera y por lo general sólo salía para caminar de un sitio con aire acondicionado a otro.

Esto no me preparó para el singular calor con que uno se topa a veintidós kilómetros al sur de Birmingham, Alabama, en la Escuela Preparatoria Culver Creek. La camioneta de mis padres estaba estacionada sobre el pasto a unos metros de mi dormitorio, la habitación 43. Pero cada vez que recorría ese pequeño trecho hacia el coche para descargar lo que ahora parecían demasiadas cosas, el sol me quemaba la piel a través de la ropa con una ferocidad viciosa que me hacía de verdad temer el fuego del infierno.

Mamá, papá y yo tardamos tan sólo unos minutos en descargar el coche; pero mi dormitorio sin aire acondicionado, aunque por suerte lejos de la luz del sol, se encontraba apenas un poco más fresco. La habitación me sorprendió: me había imaginado una alfombra gruesa, paredes con páneles de madera, muebles estilo victoriano. Excepto por un lujo, un baño privado, la habitación era una caja. Con paredes de bloques de concreto recubiertas con capas espesas de pintura blanca y un suelo de linóleo de cuadros verdes y blancos, el lugar parecía más un hospital que el dormitorio de mis fantasías. Una litera de madera sin acabados con colchones de vinilo estaba contra la ventana trasera de la habitación. Los escritorios, las cómodas y los libreros estaban todos fijos en las paredes, a fin de evitar la creatividad en el acomodo de los muebles. Y no había aire acondicionado.

Me senté en la litera inferior mientras mamá abría el baúl, tomaba una pila de las biografías que mi padre había estado de acuerdo en darme y las acomodaba en los libreros.

—Yo puedo desempacar, mamá —dije. Papá se puso de pie. Estaba listo para partir.

—Déjame por lo menos tender la cama —dijo mamá.

—No, yo lo puedo hacer. Está bien —porque no puedes extender estas cosas para siempre. En algún momento, te quitas el curita y te duele, pero luego se te pasa y te sientes aliviado.

—¡Dios!, te vamos a extrañar —dijo mamá, de pronto, saltando entre la pila de maletas para llegar a la cama. Me puse de pie y la abracé. Papá también se acercó y nos dimos un abrazo los tres. Hacía demasiado calor y estábamos muy sudados como para que el abrazo durara mucho. Sabía que debía llorar, pero había vivido con mis padres durante dieciséis años y una prueba de separación parecía ya haberse tardado mucho.

—No te preocupes —sonreí—. Ya aprenderé a hablar como sureño —mamá rio.

—No hagas nada tonto —dijo mi padre.

—Está bien.

—Nada de drogas. No bebas. No fumes —como ex alumno de Culver Creek, él había hecho cosas de las cuales yo solamente había oído hablar: fiestas secretas, pasar veloz entre los campos llenos de paja (cómo se quejaba de que en aquel entonces era sólo para chicos), probar drogas, alcohol y cigarros. Le había llevado un buen rato deshacerse del cigarro, pero sus días de chico mal portado estaban bien lejos ahora.

—Te quiero —los dos lo soltaron de sopetón al mismo tiempo. Era necesario decirlo, pero las palabras hacían que todo fuera terriblemente incómodo, como si vieras a tus abuelos besarse.

—Yo también los quiero. Les hablaré los domingos —nuestras habitaciones no tenían líneas telefónicas, pero mis padres habían solicitado que me instalaran en una habitación cercana a uno de los cinco teléfonos de monedas de Culver Creek.

Me abrazaron de nuevo, mamá primero y luego papá, y la despedida terminó. Por la ventana trasera los vi tomar el camino de curvas, alejándose de los terrenos de la escuela. Debí haber sentido una tristeza sentimental, empalagosa quizá, pero sobre todo deseaba refrescarme, así que tomé una de las sillas del escritorio y me senté justo afuera de mi cuarto a la sombra de los aleros colgantes, esperando una brisa que nunca llegó. El aire de afuera era tan opresivo e inmóvil como el de adentro. Observé mis nuevos territorios: seis edificios de una planta, cada uno con dieciséis habitaciones, acomodadas a manera de hexagrama alrededor de un gran círculo de pasto. Parecía un viejo motel de enorme tamaño. En todas partes, chicos y chicas se abrazaban, sonreían y caminaban juntos. Esperaba vagamente que alguien se me acercara y hablara conmigo. Me imaginé la conversación:

—Hola. ¿Es tu primer año?

—Sí, sí. Soy de Florida.

—Qué bueno. Entonces, estás acostumbrado al calor.

—No podría estar acostumbrado a este calor ni siquiera si viniera del Hades —bromearía. Daría una buena impresión para comenzar. "Ah, es chistoso. Ese chico Miles es muy divertido."

Eso no sucedió, claro está. Las cosas nunca suceden como yo las imagino.

Aburrido, volví a entrar, me quité la camisa y me senté en el vinilo del colchón de la cama inferior de la litera, empapado de calor, y cerré los ojos. Nunca había vuelto a nacer con el bautismo, las lágrimas y todo eso, pero nadie podía sentirse mucho mejor que renacer como un tipo sin pasado. Pensé en las personas sobre las cuales había leído que estudiaron en internados y en sus aventuras: John F. Kennedy, James Joyce y Humphrey Bogart. A Kennedy, por ejemplo, le encantaba hacer travesuras. Pensé en el Gran quizá, en las cosas que podrían suceder, en las personas que podría conocer y en quién podría ser mi compañero de cuarto (había recibido una carta unas semanas antes donde me daban su nombre: Chip Martin, pero sin más información). Quien quiera que fuera ese tal Chip Martin, esperaba que trajera de verdad un arsenal de ventiladores superpotentes, porque yo no había empacado uno solo y ya sentía que mi sudor hacía charquitos en el colchón de vinilo, lo cual me pareció tan asqueroso que dejé de pensar y me paré a buscar una toalla para limpiar el sudor. Luego pensé: "Bueno, antes de la aventura viene la desempacada".

Me las arreglé para pegar un mapa del mundo en la pared y meter la mayor parte de mi ropa en cajones, antes de notar que el aire caliente y húmedo hacía que hasta las paredes sudaran; entonces decidí que no era el momento para el trabajo físico. Era el momento para un delicioso baño frío.

En el pequeño cuarto de baño había un espejo de cuerpo entero detrás de la puerta, así que no podía escapar a mi reflejo desnudo al inclinarme para abrir la llave de la ducha. Mi delgadez siempre me sorprendía: mis brazos delgados no parecían ensancharse mucho más de la muñeca hacia el hombro, mi pecho carecía de la más mínima indicación de grasa y de músculo, y yo me pregunté avergonzado si podría hacerse algo con el espejo. Abrí la lisa cortina blanca de la ducha y, agachándome, me metí.

Por desgracia, la ducha parecía haber sido diseñada para alguien de un metro y siete centímetros de alto, por lo que el agua fría me golpeó la caja torácica baja, con toda la fuerza de una llave de agua que escurre. Para mojarme la cara empapada de sudor, tuve que abrir las piernas y ponerme en cuclillas, bastante abajo. Con toda seguridad, John F. Kennedy (quien medía 1.80 metros según su biografía, es decir, exactamente lo mismo que yo) no tenía que ponerse en cuclillas en su internado. No, esta escuela era una bestia del todo diferente, y a medida que el agua iba empapando poco a poco mi cuerpo, me pregunté si aquí encontraría un Gran quizá o si había cometido un tremendo error de cálculo.

Cuando abrí la puerta del baño después de ducharme, con una toalla envuelta alrededor de la cintura, vi a un chico de estatura baja, fornido, con mucho pelo castaño. Estaba metiendo una gigantesca bolsa de lona color verde militar por la puerta de mi habitación. Medía 1.50 metros pero tenía un cuerpo musculoso, como un modelo a escala de Adonis, y con él entró un olor a humo de cigarro rancio. "Genial —pensé—, estoy conociendo a mi compañero de cuarto, mientras estoy desnudo." Con dificultad metió la bolsa de lona en la habitación, cerró la puerta y caminó hacia mí.

—Soy Chip Martin —anunció con una voz profunda, de locutor de radio. Antes de que pudiera responder, añadió—: te daría la mano, pero creo que es mejor que agarres bien esa toalla hasta que puedas ponerte algo de ropa encima.

Me reí, asentí con la cabeza (eso es padre, ¿verdad?, ¿asentir?) y dije:

—Yo soy Miles Halter. Encantado de conocerte.

—¿Miles, como en las miles de millas que hay que avanzar antes de irse a dormir? —me preguntó.

—¿Qué?

—Es un poema de Robert Frost. ¿Nunca lo has leído?

Moví negativamente la cabeza.

—Considérate afortunado —sonrió.

Saqué ropa interior limpia, un *short* azul de futbol marca Adidas y una camiseta blanca; murmuré que regresaba en un segundo y me volví a meter al baño. ¡Vaya con las primeras impresiones!

—Oye, ¿dónde están tus padres? —pregunté desde el baño.

—¿Mis padres? Mi papá está en California en este momento. Quizá sentado en su reclinable. Quizá manejando su camión. Pero de todas maneras, tomando. Mi mamá probablemente va saliendo de los terrenos de la escuela.

—Ah —dije, ya vestido, no muy seguro de cómo responder a tan personal información. No debí haber preguntado, me pareció, nada sobre él.

Chip tomó unas sábanas y las lanzó a la litera superior.

—Soy un hombre de litera superior. Ojalá no te moleste.

—Eh, no. Lo que sea está bien.

—Veo que decoraste el lugar —dijo, haciendo un ademán hacia el mapamundi—; me gusta.

Luego empezó a enumerar países. Hablaba de manera monótona, como si lo hubiera hecho miles de veces antes.

Afganistán.

Albania.

Andorra.

Angola.

Argelia.

Y así sucesivamente. Terminó la letra *A* antes de alzar la vista y notar mi mirada de incredulidad.

—Podría recitar el resto de la lista, pero tal vez te aburriría. Es algo que aprendí durante el verano. ¡Dios!, no te puedes imaginar lo aburrido que es New Hope, Alabama, en el verano. Tanto como ver crecer frijoles de soya. ¿Tú de dónde eres, por cierto?

—De Florida.

—Nunca he ido ahí.

—Es bastante increíble lo de los países.

—Sí, todo el mundo tiene un talento. Yo puedo memorizar cosas. ¿Tú puedes...?

—Mmm, conozco muchas de las últimas palabras de gente famosa —era una indulgencia eso de aprender últimas palabras. Otras personas tenían chocolates; yo tenía declaraciones en el lecho de muerte.

—¿Un ejemplo?

—Me gustan las de Henrik Ibsen. Era un dramaturgo —sabía mucho de Ibsen, pero nunca había leído ninguna de sus obras. No me gustaba leer obras. Me gustaba leer biografías.

—Sí, sé quién era —afirmó Chip.

—Bueno, pues ya tenía tiempo de estar enfermo y su enfermera le dijo: "Parece sentirse mejor esta mañana". Ibsen la miró y le contestó: "Al contrario", y luego murió.

Chip rio.

—Es mordaz. Pero me gusta.

Me dijo que estaba en su tercer año en Culver Creek. Había comenzado en el noveno grado, el primer año de la escuela, y ahora estaba en el decimoprimero, como yo. Chico de beca, dijo. Completa. Había oído que era la mejor escuela en Alabama, así que escribió en su ensayo de solicitud que él quería asistir a una escuela en donde pudiera leer libros grandes. El problema, decía en el ensayo, era que en casa su papá siempre lo golpeaba con los libros, así que Chip procuraba tener libros breves con pastas suaves, por su propia seguridad. Sus padres se divorciaron cuando estaba en décimo grado. Le gustaba "el Creek", como él lo llamaba, pero "tienes que tener cuidado aquí, con los alumnos y con los maestros. Y a mí que tanto me choca tener cuidado", sonrió con presunción. A mí también me chocaba cuidarme, o al menos eso quería.

Me dijo esto mientras hurgaba en su bolsa de lona y lanzaba ropa en los cajones con total descuido. Chip no pensaba que fuera necesario tener un cajón para calcetines o un cajón para camisetas. Creía que todos los cajones habían sido creados iguales y llenaba cada uno con lo que le cupiera. Mi mamá se hubiera muerto.

En cuanto hubo terminado de "desempacar", Chip me golpeó duro en el hombro.

—Espero que seas más fuerte de lo que pareces —dijo saliendo por la puerta, que dejó abierta. Se volvió unos segundos después y me vio allí, de pie, inmóvil—. Bueno, vamos Miles de millas, que hay que avanzar Halter. Tenemos mucho quehacer.

Llegamos al salón de TV, el cual, según Chip, tenía la única televisión con cable de la escuela. Durante el verano, servía de unidad de almacenaje. Atestada casi hasta el techo con sofás, refrigeradores y tapetes enrollados, en el salón de TV pululaban chicos tratando de encontrar y acarrear sus cosas. Chip saludó a algunas personas pero no me las presentó. Mientras deambulaba por el laberinto apilado de sofás, yo permanecía cerca de la entrada, tratando de no bloquear a los pares de compañeros de cuarto en lo que maniobraban para sacar los muebles por la estrecha puerta principal.

Le llevó diez minutos a Chip encontrar sus cosas, más otra hora en lo que fuimos y venimos cuatro veces alrededor del círculo de dormitorios, entre el salón de TV y la habitación 43. Para cuando terminamos, yo quería meterme en el minirrefri de Chip y dormir mil años, pero Chip parecía inmune tanto a la fatiga como a la insolación. Me senté en su sofá.

—Lo encontré tirado en una cuneta de mi vecindario hace un par de años —dijo del sofá, conforme trabajaba para montar mi PlayStation 2 encima de su baúl de efectos personales—. Debo reconocer que la piel tiene algunas grietas, pero no manchas. Es un sofá de poca madre —la piel tenía más que algunas grietas, era como treinta por ciento piel de mentiras color azul cielo y setenta por ciento hule espuma, pero creo que se sentía muy bien.

—De acuerdo, ya casi terminamos —se acercó a su escritorio y sacó un rollo de cinta de embalaje de un cajón—. Sólo necesitamos tu baúl.

Me levanté, saqué el baúl de abajo de la cama y Chip lo situó entre el sofá y el PlayStation 2, y empezó a rasgar tiras delgadas de cinta de embalaje. Las pegó en el baúl de manera que se leyera MESA PARA CAFÉ.

—He ahí —dijo. Se sentó y colocó los pies sobre la, eh, mesa para café—. Terminado.

Me senté junto a él, me miró y dijo de pronto:

—Escucha, yo no seré tu acceso a la vida social de Culver Creek.

—Ah, bueno —dije, pero podía oír cómo las palabras se atoraban en mi garganta. ¿Acababa de cargar el sofá de este tipo bajo un sol blanco de tan ardiente y ahora no le caía bien?

—Básicamente, tienes dos grupos aquí —explicó, hablando con una urgencia creciente—. Tienes los internos regulares, como yo, y tienes los Guerreros Semaneros; ellos están internados aquí, pero todos son chicos ricos que viven en Birmingham y se van a las mansiones con aire acondicionado de sus padres todos los fines de semana. Son chicos fresas. No me caen nada bien y me parece que yo tampoco a ellos, así que si viniste aquí pensando que como eras la gran caca en la escuela pública lo serás también aquí, lo mejor es que no te vean conmigo. Sí fuiste a una escuela pública, ¿verdad?

—Eh... —balbuceé. Distraído, empecé a picar las grietas en la piel del sofá, cavando con los dedos la blancura del hule espuma.

—Sí, claro que fuiste, porque si hubieras ido a una escuela privada tu horrendo *short* te quedaría bien —rio.

Yo usaba el *short* justo debajo de la cadera y pensaba que se veía padre. Por fin contesté:

—Sí, fui a una escuela pública. Pero no era una gran caca allí, Chip. Era una caca regular.

—¡Ah! Eso es bueno. Y no me llames Chip. Llámame el *Coronel*.

Reprimí las ganas de reír.

—¿El *Coronel?*

—Sí, el Coronel. Y a ti te llamaremos... mmm. *Gordo.*

—¿Qué?

—Gordo —dijo el Coronel—. Porque estás delgado. Se le llama ironía, Gordo. ¿Has oído hablar de ella? Ahora, vamos por cigarros y empecemos bien este año.

Salió de la habitación, suponiendo de nuevo que lo seguiría, y esta vez lo hice. Gracias a Dios, el sol se iba poniendo en el horizonte. Avanzamos cinco puertas hasta la habitación 48. Un pizarrón de borrado en seco estaba pegado en la puerta con cinta adhesiva. En tinta azul se leía: "¡Alaska tiene habitación sencilla!".

El Coronel me explicó que: 1) ésta era la habitación de Alaska, 2) ella tenía una habitación sencilla porque a la chica que debía ser su compañera de cuarto la habían expulsado al final del año anterior y 3) Alaska tenía cigarros, aunque el Coronel olvidó preguntar si 4) yo fumaba, lo cual 5) no hacía.

Tocó una vez, fuerte. A través de la puerta una voz gritó:

—Entra, hombre pequeñito, tengo la mejor historia de todas.

Entramos. Me volví a cerrar la puerta tras de mí, pero el Coronel meneó la cabeza:

—Después de las siete, tienes que dejar la puerta abierta, si estás en la habitación de una chica.

Apenas lo oí: delante de mí estaba la chica más *sexy* de toda la historia de la humanidad en pantalones de mezclilla recortados, con una blusa de tirantes color durazno. Estaba hablando con el Coronel, en voz muy alta y rápido.

—Así que, primer día de verano. Estoy en la vieja Vine Station con un chico llamado Justin y estamos en su casa viendo la TV en el sofá. Para entonces, quiero que lo sepas, yo ya salía con Jake (de hecho, sigo saliendo con él, lo cual en sí mismo es un milagro), pero Justin es amigo mío de cuando era niña y tan sólo estábamos viendo la TV y hablando de los resultados de los exámenes de aptitud escolar o algo así. Entonces Justin coloca su brazo alrededor de mis hombros y pienso: "ah, qué rico, hemos sido amigos tanto tiempo y esto se siente totalmente cómodo", y seguimos hablando. Luego, estoy a la mitad de una frase sobre analogías o algo así y como halcón baja la mano y me toca la teta como si fuera claxon. Como un sonido de claxon demasiado firme, de dos o tres segundos. Y lo primero que pienso es: "Está bien, ¿y ahora cómo zafo esta garra de mi teta antes de que deje marcas permanentes?". Y lo segundo que pienso es: "No puedo esperar a contarles a Takumi y al Coronel".

El Coronel se rio. Yo seguía mirando, azorado en parte por la fuerza de la voz que emanaba de esa chica pequeña (pero llena de curvas) y en parte por la gigantesca hilera de libros que se formaba en sus muros. Su biblioteca llenaba los entrepaños y luego se desbordaba hacia torres de libros que nos llegaban a la cintura por todos lados, recargados a como diera lugar contra las paredes. Si uno solo se moviera, pensaba, el efecto dominó nos podría devorar a los tres en una masa asfixiante de literatura.

—¿Quién es el chico que no se ríe de mi muy chistosa historia? —preguntó.

—Ah, sí, Alaska, éste es el Gordo. El Gordo memoriza las últimas palabras de la gente famosa. Gordo, ella es Alaska. Le tocaron la teta cual si fuera un claxon durante el verano —ella se acercó a mí con la mano extendida; luego hizo un ademán rápido hacia abajo en el último momento y me bajó el *short*.

—¡Éste es el *short* más grande del estado de Alabama!

—Me gusta andar holgado —dije, avergonzado, y me lo subí. Me parecía padre usar *short* en casa, allá en Florida.

—Hasta ahora, de lo que va en nuestra amistad, Gordo, he visto tus piernas de pollo demasiadas veces —dijo el Coronel, impasible—. Oye, Alaska, véndenos unos cigarros.

Entonces, de algún modo, el Coronel me convenció de que pagara cinco dólares por un paquete de Marlboro Lights que no tenía intención de fumar ni una sola vez. Invitó a Alaska a que se nos uniera, pero ella contestó:

—Tengo que encontrar a Takumi para contarle lo del toque de teta —se volteó hacia mí y me preguntó—: ¿No lo has visto?

Yo no tenía idea de si lo había visto, ya que no sabía quién era. Simplemente meneé la cabeza.

—Está bien. Entonces, nos vemos en el lago en unos minutos —el Coronel asintió.

A la orilla del lago, justo antes de la playa arenosa (falsa, me informó el Coronel), nos sentamos en un columpio tipo Adirondack. Hice la broma obligatoria:

—No me agarres la teta —el Coronel se rio por obligación y luego me preguntó:

—¿Quieres un cigarro? —nunca había fumado un cigarro, pero, a donde fueres...

—¿Es seguro aquí?

—En realidad no —encendió un cigarro y me lo pasó. Inhalé. Tosí. Jadeé. Me quedé sin aire. Volví a toser. Consideré vomitar. Me agarré a la banca que se columpiaba, pues la cabeza me daba vueltas, y tiré el cigarro al suelo y lo pisoteé, convencido de que mi Gran quizá no incluía cigarros.

—¿Fumas mucho? —se rio. Luego señaló una manchita blanca del otro lado del lago— ¿Ves eso?

—Sí, ¿qué es? ¿Un pájaro?

—Es el cisne.

—Guau. Una escuela con cisne. Guau.

—Ese cisne es un engendro de Satanás. Nunca te le acerques a menos distancia de la que estamos ahora.

—¿Por qué?

—Tiene algunos problemas con la gente. Abusaron de él o algo así. Te hará pedazos. El Águila lo puso ahí para evitar que caminemos alrededor del lago mientras fumamos.

—¿El Águila?

—El señor Starnes. Nombre en código: el Águila. El decano de los alumnos. La mayoría de los profesores vive en los terrenos de la escuela y todos te meterán en problemas. Sin embargo, únicamente el Águila vive en el círculo de dormitorios y lo ve todo. Incluso es capaz de oler un cigarro como a cinco kilómetros de distancia.

—¿Qué su casa no está allá? —pregunté, señalándola. Podía ver clara la casa a pesar de la oscuridad, así que, por ende, seguro él también podía vernos a nosotros.

—Sí, pero en realidad no entra en actitud de guerra hasta que empiezan las clases —dijo Chip, con indiferencia.

—Dios mío, si me meto en problemas, mis padres me matarán —dije.

—Sospecho que estás exagerando. Pero mira, te vas a meter en problemas. Noventa y nueve por ciento de las veces, sin embargo, no es necesario que tus padres se enteren. La escuela no quiere que tus padres sepan que eres un desastre aquí, no más de lo que tú quieres que tus padres se enteren de que eres un desastre —exhaló con fuerza un hilo delgado de humo hacia el lago. Tenía que admitirlo: se veía bien haciéndolo, más grande, de algún modo—. De todas maneras, cuando te metas en problemas, no delates a nadie. Digo, odio a los mocosos ricos que hay aquí con la ferviente pasión que suelo reservar para mi padre y los procedimientos del dentista, pero eso no significa que los delataría. Lo más importante de todo es que nunca, nunca, nunca, nunca delates.

—Está bien —acepté, aunque me preguntaba: "¿si alguien me golpea en la cara, tendré que insistir en que choqué con una puerta?" Me parecía un poco tonto. ¿Cómo lidias con los buscapleitos y los idiotas si no los puedes meter en problemas? De todos modos, no le pregunté a Chip.

—Muy bien, Gordo. Hemos llegado al momento de la noche en el que debo buscar a mi novia. Así que dame algunos de esos cigarros que de todas maneras no vas a fumar y nos vemos más tarde.

Decidí quedarme en el columpio otro rato, en parte porque el calor por fin se había disipado y se sentía una temperatura agradable, de veintimuchos grados, aunque algo sofocante, y también porque pensaba que Alaska podía aparecer. Pero casi en cuanto se fue el Coronel, los bichos invadieron: de esos diminutos, que casi ni se ven (eso dicen, yo sí los veía), junto con mosquitos, los cuales revoloteaban a mi alrededor en tales cantidades que el ligero ruidito de sus alas sonaba cacofónico. Entonces decidí fumar.

Pensé: "El humo alejará a los bichos". Y, hasta cierto punto, lo hizo. Sin embargo, mentiría si dijera que me convertí en fumador para alejar a los insectos. Me convertí en fumador porque: 1) estaba solo en un columpio tipo Adirondack, 2) tenía cigarros y 3) pensé que si todos los demás podían fumar un cigarro sin toser, yo también tenía que poder. En pocas palabras, no tenía una muy buena razón. Así que, digamos que 4) fueron los bichos.

Logré inhalar tres veces antes de sentir náuseas y mareo, y de sentirme sólo semiagradablemente fumado. Me levanté para irme. Al ponerme de pie, escuché una voz detrás de mí:

—¿De verdad memorizas últimas palabras?

Corrió hacia mí, me tomó el hombro y me empujó para que me sentara de nuevo en el columpio de porche.

—Ajá —dije. Y luego añadí—: ¿Quieres comprobarlo?

—John F. Kennedy.

—Eso es obvio.

—Ah, ¿de veras?

—No, ésas fueron sus últimas palabras. Alguien le dijo: "Señor presidente, no puede decir que Dallas no lo quiera" y él respondió: "Eso es obvio". Luego lo asesinaron.

Ella rio.

—Dios, eso es horrible. No debería reírme, pero lo haré —y luego volvió a reír—. Está bien, Señor Chico Últimas Palabras de los Famosos. Te tengo una —metió la mano en su mochila llena hasta el tope y sacó un libro—: Gabriel García Márquez, *El general en su laberinto*, decididamente uno de mis favoritos. Es sobre Simón Bolívar —no sabía yo quién era Simón Bolívar, pero no me dio tiempo de preguntar—. Es una novela histórica, así que no sé si es cierto lo que dice o no, pero en el libro, ¿sabes cuáles son sus últimas palabras? No, no sabes. Pero estoy a punto de decirte, Señor Comentarios de Despedida.

Luego, encendió un cigarrillo y lo inhaló con tanta fuerza durante tanto tiempo, que pensé que todo el cigarro se quemaría a la vez. Exhaló y me leyó:

—Él —Simón Bolívar— se vio sacudido por la revelación de que la carrera precipitada entre sus infortunios y sus sueños iba llegando a la meta final en ese momento. El resto era oscuridad. "'¡Maldición!, suspiró. ¡Cómo salir de este laberinto!'"

Yo sabía cuándo había encontrado unas últimas palabras geniales y anoté en mi mente que debía obtener una biografía de este tipo Simón Bolívar. Hermosas últimas palabras, pero no las entendía del todo.

—Entonces, ¿qué es el laberinto? —le pregunté.

Éste era el mejor momento para decir que era hermosa. En la oscuridad, junto a mí, olía a sudor, a luz de sol y a vainilla. En esa noche de luna menguante podía ver poco más que su silueta excepto cuando fumaba, cuando la cereza ardiente del cigarro empapaba su rostro de una suave luz roja. Pero, incluso en la oscuridad, podía ver sus ojos como esmeraldas impetuosas. Tenía el tipo de ojos que te predisponen a apoyarla en cualquier empeño. Y no sólo era hermosa sino *sexy*, también, con los pechos pegados a la apretada camiseta de tirantes, las piernas curveadas que se mecían bajo el columpio, las chanclas que colgaban de los pies con las uñas pintadas de azul eléctrico. Fue justo entonces, entre el momento cuando le pregunté sobre el laberinto y cuando me contestó, que me di cuenta de la *importancia* de las curvas, de los mil lugares en donde los cuerpos de las chicas pasan de un lugar a otro: del arco del pie al tobillo y a la pantorrilla, de la pantorrilla a la cadera y a la cintura, al pecho, al cuello, a la nariz de ladera de esquí, a la frente, al hombro, al arco cóncavo de la espalda, al trasero, al etcétera. Había observado las curvas antes, claro está, pero nunca había captado del todo su significado.

Con la boca lo suficientemente cerca de mí para sentir su aliento más cálido que el aire, dijo:

—Ése es el misterio, ¿no? ¿El laberinto es vivir o morir? Pero ¿de cuál está tratando de escapar? ¿Del mundo o del final del mundo?

Esperé que siguiera hablando, pero después de un rato, fue evidente que quería una respuesta.

—Eh, no lo sé —dije por fin—. ¿De verdad has leído todos esos libros que hay en tu habitación?

—¡Santo cielo!, no —se rio—. Quizá haya leído una tercera parte. Pero voy a leerlos todos. La llamo mi Biblioteca de Vida. Todos los veranos, desde que era niña, he ido a ventas de garaje y he comprado todos los libros que parecen interesantes. Así que siempre tengo algo para leer, aunque hay tanto por hacer: cigarros que fumar, sexo que tener, columpios en que columpiarme. Tendré más tiempo para leer cuando sea vieja y aburrida.

Me dijo que le recordaba al Coronel cuando llegó a Culver Creek. Eran compañeros de clase, los dos con becas y, como ella lo dijo, "un interés compartido por el alcohol y las travesuras". La frase *alcohol y travesuras* me hizo temer que me hubiera metido en lo que mi madre llamaba "el grupo equivocado", pero para ser del grupo equivocado, los dos parecían demasiado inteligentes. Al encender un cigarrillo nuevo con la colilla del anterior, me dijo que el Coronel era listo pero no había vivido mucho cuando llegó al Creek.

—Yo terminé rápido con ese problema —sonrió—. Para noviembre le había conseguido su primera novia, una chica muy linda de nombre Janice que no era Guerrera Semanera. Terminó con ella al cabo de un mes porque era demasiado rica para su sangre empapada de pobreza, pero no importaba. Hicimos nuestra primera travesura ese año: cubrimos el salón 4 con una ligera capa de canicas. Hemos progresado algo desde entonces, claro está —se rio.

Así fue como Chip se convirtió en el Coronel, el planificador casi militar de sus travesuras, y Alaska fue siempre Alaska, la enorme fuerza creativa detrás de los dos.

—Tú eres listo como él —aseguró—. Sin embargo, más callado. Y más guapo, pero haz de cuenta que no he dicho nada porque quiero a mi novio.

—¿Sí?, tú tampoco estás mal —le respondí abrumado por su cumplido—, pero haz de cuenta que no dije nada porque quiero a mi novia. ¡Ah, espera! Por cierto, no tengo novia.

—¿Sí?, no te apures, Gordo —me confortó entre risas—. Si hay algo que puedo conseguirte es una novia. Hagamos un trato: tú averiguas qué es el laberinto y cómo salir de él y yo te consigo un acostón.

—Es un trato —nos dimos la mano.

Más tarde, caminé hacia el círculo de dormitorios junto a Alaska. Las cigarras cantaban su canción de una nota, al igual que lo habían hecho en casa, en Florida. Ella se volvió hacia mí a medida que avanzábamos en la oscuridad y dijo:

—Cuando caminas de noche, ¿alguna vez te ha pasado que te da miedo y, aun cuando es tonto y vergonzoso, te quieres echar a correr hasta tu casa?

Parecía demasiado secreto y personal admitir eso frente a una persona casi extraña, pero le contesté:

—Sí, sin duda.

Durante un momento guardó silencio. Luego me agarró la mano, susurró "corre, corre, corre, corre" y emprendió la huida, jalándome detrás.

CIENTO VEINTISIETE DÍAS ANTES

Temprano, al día siguiente por la tarde, me escurrió sudor de los párpados mientras pegaba un cartel de Van Gogh al reverso de la puerta. El Coronel, sentado en el sofá, juzgaba si el cartel estaba derecho y contestaba mis interminables preguntas sobre Alaska:

—¿Cuál es su historia?

—Es del pueblo de Vine Station. Podrías pasar en coche sin darte cuenta de que existe y, según sé, es lo que debes hacer. Su novio está en Vanderbilt, con beca. Toca el bajo en una banda. No sé mucho sobre su familia.

—¿Y de verdad le gusta?

—Supongo. No le ha sido infiel, lo que ya es ganancia.

Y así sucesivamente. En toda la mañana no me había importado otra cosa, ni el cartel de Van Gogh, ni los juegos de video, ni siquiera mi horario de clase que el Águila había traído esa mañana. También se presentó:

—Bienvenido a Culver Creek, señor Halter. Aquí se le da mucha libertad. Si abusa de ella, se arrepentirá. Parece usted un joven amable. Detestaría despedirme de usted.

Luego me miró de una manera seria o seriamente maliciosa.

—Alaska la llama la "mirada de la perdición" —me comentó el Coronel después de que el Águila se había ido—. La próxima vez que la veas es porque estás en problemas. Está bien, Gordo —continuó el Coronel, al alejarme del cartel—. No está del todo derecho, pero casi. Basta de Alaska. Según mis cuentas, hay noventa y dos chicas en esta escuela y todas ellas, hasta la última, menos locas que Alaska quien, quisiera añadir, ya tiene novio. Me voy a comer. Es día de *bufritos* —salió, dejando la puerta abierta.

Me sentía como un idiota caprichoso cuando me levanté a cerrar la puerta. El Coronel se dio la vuelta:

—¡Por Dios! ¿Vas a venir o qué?

Se pueden decir muchas cosas malas sobre Alabama, pero no que sus habitantes le teman a las freidoras. En esa primera semana en el Creek, la cafetería sirvió pollo frito, filete de pollo frito y angú frito, lo que marcó mi primera incursión en el delicioso bocado que es esa verdura frita. Incluso esperaba que frieran las lechugas. Pero nada se equiparaba al *bufrito*, un platillo creado por Maureen, la increíble y (comprensiblemente) obesa cocinera de Culver Creek. El *bufrito*, un burrito de frijoles refritos, demostró que sin duda freír un alimento *siempre* lo mejora. Esa tarde en la cafetería, sentado en una mesa circular con el Coronel y cinco chicos que no conocía, clavé los dientes en la tortilla crujiente de mi primer *bufrito* y experimenté un orgasmo culinario. Mi mamá cocinaba bien, pero de inmediato quise llevarme a Maureen a casa para el día de Acción de Gracias.

El Coronel me presentó (como "Gordo") a los chicos de la mesa tambaleante de madera; pero el único nombre que registré fue el de Takumi, que Alaska había mencionado ayer. Era un chico japonés, delgado, apenas unos centímetros más alto que el Coronel. Takumi hablaba con la boca llena a medida que yo masticaba con lentitud, saboreando la crujiente enfrijolada.

—¡Dios mío! —dijo Takumi, dirigiéndose a mí—, no hay nada como ver a un hombre comerse su primer *bufrito*.

Yo no dije mucho, en parte porque nadie me hizo preguntas y en parte porque quería comer tanto como pudiera. Pero Takumi no sentía tal modestia: él podía, y lo hacía, comer, masticar y tragar mientras hablaba.

La conversación de la comida se centró en la chica que debía haber sido la compañera de cuarto de Alaska Young, Marya, y su novio, Paul, que había sido un Guerrero Semanero. Los habían expulsado en la última semana de clases del año escolar anterior, según me enteré, debido a lo que el Coronel llamaba una "trifecta"; es decir, los pescaron cometiendo al mismo tiempo tres faltas que merecían la expulsión de Culver Creek: estaban acostados en la cama juntos, desnudos ("contacto genital" era la falta #1), ya borrachos (#2) y fumando un churro (#3) cuando el Águila entró y los atrapó.

Los rumores decían que alguien los había delatado y Takumi parecía tener toda la intención de averiguar quién, o la intención al menos, de gritarlo con la boca atascada de *bufrito*.

—Paul era un imbécil —aseguró el Coronel—. Yo no los hubiera delatado, pero cualquiera que se encama con un Guerrero Semanero que maneja un Jaguar como Paul se merece lo que le toque.

—Bróder —respondió Takumi—, *u noia* —y luego tragó un mordisco de comida— es una Guerrera Semanera.

—Cierto —rio el Coronel—. Aunque eso me mortifique, es un hecho incontestable. Pero no es tan imbécil como Paul.

—No tanto —se burló Takumi. El Coronel rio de nuevo y yo me pregunté por qué no defendía a su novia. A mí no me habría importado si mi novia era una Cíclope con barba que manejaba un Jaguar; habría agradecido tener con quien coger.

Esa noche, cuando el Coronel pasó por la habitación 43 para recoger los cigarros (parecía haber olvidado que eran, técnicamente, míos), no me importó en realidad que no me hubiera invitado a ir con él. En la escuela pública había conocido a muchas personas que tenían como hábito detestar a un tipo de persona u otro; por ejemplo, los tetos odiaban a los fresas, etcétera, y esto siempre me había parecido una gran pérdida de tiempo. El Coronel no me dijo en dónde había pasado la tarde ni a dónde iba ahora; sólo cerró la puerta al salir, así que supuse que yo no era bienvenido.

Así estuvo bien, porque pasé la noche navegando por la Red (nada porno, lo juro) y leyendo *The Final Days*, un libro sobre Richard Nixon y el Watergate. Para la cena, metí al microondas un *bufrito* refrigerado que el Coronel había sacado a escondidas de la cafetería. Me recordó las noches en Florida, excepto que con mejor comida y sin aire acondicionado. Estar acostado en la cama y leer me parecía agradablemente familiar.

Decidí seguir lo que de seguro habría sido el consejo de mi madre: dormir bien la noche anterior a mi primer día de clases. Francés II empezaba a las 8:10 y, calculando que no me llevaría más de ocho minutos vestirme y caminar a los salones de clase, puse la alarma para las 8:02. Me bañé y luego me quedé en la cama, a la espera de que el sueño me salvara del calor. Como a las 11:00 de la noche me di cuenta de que el minúsculo ventilador fijado con un clip a mi litera podía hacer mayor diferencia si me quitaba la camiseta, y al final me quedé dormido encima de las sábanas tan sólo con el bóxer.

Fue una decisión de la que me arrepentí horas después, cuando me desperté al sentir dos manos sudorosas y carnosas que me sacudían con todas las ganas del mundo. Desperté por completo y al instante. Me senté derecho en la cama, aterrado, sin poder entender la irrupción de voces por alguna razón. No entendía por qué había voces y ¿qué endemoniada hora era de cualquier modo? Al final, la cabeza se me aclaró lo suficiente como para oír:

—¡Ándale, chico! No nos hagas patearte el trasero, levántate.

Luego, desde la litera superior, escuché:

—¡Por Dios, Gordo!, sólo levántate.

Así que me levanté y vi, por primera vez, tres figuras ensombrecidas. Dos de ellas me agarraron, con una mano cada una, de los antebrazos y me hicieron caminar fuera de la habitación. Al salir, el Coronel murmuró:

—¡Que te diviertas! No lo maltrates mucho, Kevin.

Me condujeron, casi trotando, atrás de mi edificio de dormitorios y luego por el campo de *soccer*. El suelo tenía pasto, pero también piedritas, y yo me preguntaba por qué nadie había tenido la pequeña cortesía de decirme que me pusiera zapatos y por qué estaba yo ahí afuera, en ropa interior, con mis piernas de pollo expuestas al mundo.

Mil humillaciones me cruzaron por la cabeza. "Ahí está el nuevo alumno del noveno grado, Miles Halter, amarrado a la portería de futbol con sólo su bóxer puesto." Imaginé que me llevarían al bosque, hacia donde en apariencia nos dirigíamos ahora, y que me golpearían hasta hacerme mierda para que me viera de maravilla en mi primer día de clases. Todo ese tiempo, tan sólo me miraba los pies porque no quería verlos a ellos ni quería caerme, así que miraba por dónde iba, tratando de evitar las piedras más grandes. Sentí ese impulso de luchar o huir que me había surgido una que otra vez, pero ni la lucha ni la huida me habían funcionado nunca. Me llevaron a la playa de mentiras por una ruta tortuosa y entonces supe lo que iba a suceder: una zambullida de las que acostumbran dar en estos casos, en el lago. Me calmé. Podía manejar eso.

Cuando llegamos a la playa, me dijeron que pusiera los brazos a los lados y el tipo más musculoso tomó de la arena dos rollos de cinta de embalaje. Con los brazos pegados a los lados como soldado en pose de atención, me vendaron desde los hombros hasta las muñecas. Luego me tiraron al suelo; la arena de la playa de a mentiras amortiguó la caída, pero de todas maneras me golpeé la cabeza. Dos de ellos me juntaron las piernas mientras el otro, Kevin, supongo, pegó tanto su cara angular de mandíbula fuerte a la mía que las púas empapadas en gel que salían de su frente me picaban la cara. Me dijo:

—Esto es por el Coronel. No debes juntarte con ese imbécil.

Me pegaron las piernas juntas, de los tobillos a los muslos. Parecía una momia plateada.

—Por favor, chicos, no lo hagan —pedí justo antes de que me sellaran la boca, me levantaran y me lanzaran al agua.

Me hundí y, en vez de sentir pánico o cualquier otra cosa, me di cuenta de que "Por favor, chicos, no lo hagan" eran unas últimas palabras terribles. Pero luego, el gran milagro de la especie humana: mi flotabilidad apareció y al sentirme flotar hacia la superficie, me torcí y retorcí lo mejor que pude de manera que el aire cálido de la noche me dio primero en la nariz y pude respirar. No estaba muerto ni iba a morir. Pensé: "Bueno, no estuvo tan mal".

Pero todavía debía resolver el pequeño detalle de llegar a la playa antes de que saliera el sol. Primero, necesitaba determinar mi posición frente al borde de la playa. Si inclinaba demasiado la cabeza, sentía que todo mi cuerpo empezaba a rodar y en la larga lista de maneras desagradables de morir, fallecer "boca abajo en bóxer blanco y empapado" era una de las primeras. Así que, en vez de eso, miré arriba y estiré el cuello hacia atrás, con los ojos casi bajo el agua, hasta que vi que la orilla estaba directamente detrás de mi cabeza, como a tres metros. Comencé a nadar, como una sirena plateada sin brazos, utilizando sólo la cadera para generar movimiento hasta que por fin mis nalgas golpearon el fondo lodoso del lago. Me volteé entonces y usé mis caderas y mi cintura para rodar tres veces hasta llegar a la orilla, cerca de una toalla verde deshilachada. Me habían dejado una toalla. ¡Qué considerados!

El agua se había metido bajo la cinta de embalaje y aflojado la fuerza del adhesivo sobre mi piel; pero como la cinta me envolvía en tres capas en varios lugares, fue necesario que me retorciera como pez fuera del agua. Por fin, la cinta se soltó lo suficiente para que deslizara la mano izquierda afuera y hacia el pecho y la rasgara hasta quitármela.

Me envolví en la toalla arenosa. No quería regresar a mi habitación y ver a Chip, porque no tenía idea de a qué se refería Kevin. Quizá si regresaba a la habitación, me estarían esperando y me lo volverían a hacer, peor esta vez. Quizá necesitaba demostrarles: "Está bien, capté su mensaje. Es sólo mi compañero de cuarto, no mi amigo". De cualquier manera, no sentía tanta simpatía hacia el Coronel. "¡Que te diviertas!", había dicho. "Sí, claro —pensé—, fue divertidísimo."

Así que me fui a la habitación de Alaska. No sabía qué hora era, pero podía ver una luz tenue bajo su puerta. Toqué quedito.

—Ajá —dijo y entré mojado, arenoso y con apenas una toalla y un bóxer empapado. Ésta no era la manera, por supuesto, como querrías que la chica más *sexy* te viera; pero supuse que ella me podría explicar lo que acababa de suceder.

Bajó el libro que estaba leyendo y salió de la cama con una sábana envuelta en los hombros. Por un momento, la vi preocupada. Parecía la chica que había conocido el día anterior, la chica que dije era linda y burbujeaba con energía, simpleza e inteligencia. Luego se rio.

—Apuesto a que fuiste a nadar, ¿verdad? —lo dijo con tanta malicia casual que sentí que todos lo sabían y me pregunté por qué toda la maldita escuela se había puesto de acuerdo para quizá ahogar a Miles Halter. Pero Alaska se llevaba bien con el Coronel y, en la confusión del momento, sólo la miré en blanco, sin saber siquiera qué preguntar.

—No manches —dijo—. ¿Sabes qué? Hay personas con verdaderos problemas. Yo tengo verdaderos problemas. Tu mamá no está aquí, así que ten huevos, hombrezote.

Salí sin decirle una palabra y me fui a mi habitación. Golpeé la puerta tras de mí, desperté al Coronel y pisé fuerte camino al baño. Me metí a la regadera para quitarme las algas del lago, pero el ridículo aspersor se negó a funcionar. ¿Cómo les podía caer mal a Alaska, a Kevin y a los demás chicos si apenas empezaba el año? Cuando terminé de bañarme, me sequé y entré en la habitación a buscar ropa.

—Oye, ¿qué te llevó tanto tiempo? ¿Te perdiste en el camino?

—Me dijeron que era por ti —en mi voz se notaba un poco de molestia—. Me dijeron que no debía ser tu amigo.

—¿Qué? No, eso le sucede a todos. Me sucedió a mí. Te lanzan al lago, nadas a la orilla, caminas a casa.

—No podía nada más nadar a la orilla —dije suavemente, poniéndome un *short* de mezclilla bajo la toalla—. Me envolvieron en cinta de embalaje. Ni siquiera podía moverme, en realidad.

—Alto, alto —me detuvo y brincó de su litera, mirándome en la oscuridad—. ¿Te envolvieron con cinta? ¿Cómo?

Y le mostré: me paré como momia, con los pies juntos y las manos a los costados, y le mostré cómo me habían envuelto. Luego me dejé caer en el sofá.

—¡Santo Dios! ¡Podías haberte ahogado! ¡Se supone que sólo te tiran al agua en ropa interior y corren! ¿En qué diablos estaban pensando? ¿Quién fue? ¿Kevin Richman y quién más? ¿Recuerdas sus caras?

—Sí, creo que sí.

—¿Por qué demonios harían eso? —se preguntó.

—¿Tú les hiciste algo?

—No, pero ganas no me faltan. Los vamos a agarrar.

—No es para tanto. Salí bien.

—Podías haber muerto —yo suponía que sí, pero estaba vivo.

—Bueno, mañana podría ir con el Águila y decirle —sugerí entonces.

—Definitivamente no —contestó. Caminó hacia su *short* arrugado tirado en el suelo y sacó un paquete de cigarros. Encendió dos y me dio uno. Me fumé toda la madre ésa—. No lo vas a hacer porque así no es como resolvemos las cosas aquí. Además, no quieras hacerte de una reputación de soplón. Pero ya verán esos bastardos, Gordo, te lo prometo. Se van a arrepentir de meterse con uno de mis amigos.

Y si el Coronel pensaba que con llamarme su amigo lograría que me quedara de su lado, pues estaba en lo correcto.

—Alaska se portó mala onda conmigo hoy —comenté. Me incliné, abrí un cajón vacío del escritorio y lo usé como cenicero por mientras.

—Como dije, tiene cambios de humor.

Me acosté con camiseta, *short* y calcetines. Sin importar cuán terriblemente caluroso estuviera, decidí dormir con ropa puesta todas las noches en el Creek sintiendo, quizá por primera vez en la vida, el temor y la emoción de vivir en un lugar en donde nunca sabes qué va a suceder o cuándo.

CIENTO VEINTISÉIS DÍAS ANTES

—¡Bueno, pues si querían guerra, la consiguieron! —gritó el Coronel a la mañana siguiente. Me di la vuelta y miré el reloj: 7:52. Mi primera clase en Culver Creek, Francés, empezaba en dieciocho minutos. Parpadeé un par de veces y miré al Coronel, que estaba de pie entre el sofá y la MESA PARA CAFÉ; sostenía sus tenis bastante desgastados, que alguna vez fueron blancos, por las agujetas. Durante mucho rato me miró y yo lo miré a él. Luego, casi en cámara lenta, una sonrisa se esparció por la cara del Coronel.

—Tengo que admitirlo —dijo al fin—. Fue muy astuto de su parte.

—¿Qué?

—Anoche, antes de despertarte, supongo, se hicieron pipí en mis zapatos.

—¿Estás seguro? —pregunté, tratando de no reírme.

—¿Quieres olerlos? —me acercó los zapatos—. Porque sí, ya los olí y sí, estoy seguro. Si hay una cosa que reconozco es cuando acabo de pisar la pipí de otro hombre, como mi mamá, que siempre dice: "Creerías que caminas sobre agua, pero resulta que tienes pipí en los zapatos". Señálame a esos chicos si los ves hoy, porque debemos saber por qué están tan sacados de onda conmigo como para orinarse en mis zapatos. Y luego necesitamos empezar a ver cómo vamos a arruinarles sus viditas miserables.

Cuando recibí el Manual de Culver Creek durante el verano y noté con alegría que la sección del "Código de vestimenta" incluía sólo dos palabras, *modesta* e *informal*, jamás se me ocurrió que las chicas llegarían a clase medio dormidas en piyama corta de algodón, camiseta y chanclas. Modesto, supongo, e informal.

Eso de que las chicas trajeran piyamas (aunque fueran modestas) tenía algo que podría haber hecho aguantable tomar Francés a las 8:10 de la mañana, si yo hubiera tenido alguna idea de lo que estaba hablando *madame* O'Malley: *¿Comment dis-tu?* ¡Dios mío! ¿No sé suficiente francés para pasar Francés II *en Français?* Mi clase de Francés I en Florida no me preparó para *madame* O'Malley, quien se saltó preguntas del tipo "¿cómo te fue en tus vacaciones de verano?" y se zambulló de lleno en algo llamado *passé composé*, que en apariencia es un tiempo verbal. Alaska se sentaba enfrente de mí en el círculo de escritorios, pero no me miró ni una sola vez durante la clase, aun cuando apenas yo podía ver otra cosa que no fuera ella. Quizá era mala, pero la manera en que habló esa primera noche sobre salir del laberinto fue tan inteligente. Y la forma en que su boca se ondulaba hacia arriba del lado derecho todo el tiempo, como si se estuviera preparando para sonreír maliciosa, como si hubiera dominado la mitad derecha de la sonrisa inimitable de la Mona Lisa...

Desde mi habitación, la población estudiantil parecía manejable; pero en el área de los salones, la cual constaba de un único edificio largo ubicado justo después del círculo de dormitorios, me rebasaba. El edificio estaba dividido en catorce salones que miraban hacia el lago. Los chicos atestaban las estrechas aceras frente a los salones y aun cuando encontrar los míos no fue difícil (incluso con mi pobre sentido de orientación podía llegar desde Francés en el salón 3 a Precálculo en el salón 12), me sentí inseguro todo el día. No conocía a nadie, ni siquiera podía dilucidar a quién tendría que estar conociendo y las clases fueron duras, incluso el primer día. Papá me había dicho que ahora tendría que estudiar y al final le creí. Los profesores eran serios, listos y a muchos de ellos había que dirigirse como "doctor", así que cuando llegó mi última clase antes de la comida, Religiones del Mundo, sentí un tremendo alivio. Se trataba de un vestigio de cuando Culver Creek era una escuela para chicos cristianos. Supuse que en la clase de Religiones del Mundo, obligatoria para todos los alumnos de decimoprimero y duodécimo grados, podría obtener una calificación fácil de 10.

Fue mi única clase de ese día en donde los escritorios no estaban acomodados en un cuadrado o en un círculo, así que, para no parecer ansioso, me senté en la tercera fila a las 11:03. Llegaba siete minutos temprano, en parte porque me gustaba ser puntual y en parte porque no tenía a nadie con quién platicar fuera del salón. Poco después, entraron el Coronel y Takumi y se sentaron a mi izquierda y derecha.

—Oí lo que pasó anoche —dijo Takumi—. Alaska está furiosa.

—¡Qué raro!, porque anoche fue una ojete —dije sin querer.

Takumi sólo meneó la cabeza:

—Sí, bueno, pero no sabía toda la historia. Y la gente pasa por distintos estados de ánimo, hombre. Tienes que acostumbrarte a vivir con gente. Podrías tener peores amigos que...

—Basta de psicorrollo, MC Dr. Phill —el Coronel lo detuvo—. Hablemos de la contrainsurgencia.

La gente empezaba a llegar a clase, por lo que el Coronel se inclinó hacia mí y susurró:

—Si cualquiera de ellos está en esta clase, avísame, ¿sí? Ten, aquí, ponme un ✗ que indique en dónde están sentados —arrancó una hoja de su cuaderno y trazó un cuadro para cada escritorio.

Conforme iba llegando la gente, vi a uno de ellos, el alto de pelo puntiagudo, Kevin. Al pasar, Kevin trató de mirar fijamente al Coronel pero olvidó ver por dónde caminaba y se golpeó el muslo contra el escritorio. El Coronel rio. Uno de los otros chicos, el que estaba un poco gordo o hacía demasiado ejercicio, entró detrás de Kevin con pantalones de pliegues color caqui y una camisa negra polo de manga corta. Al sentarse, crucé los cuadros pertinentes en el diagrama del Coronel y se lo entregué. Justo entonces entró el Anciano, arrastrando los pies.

Respiraba con lentitud y gran dificultad por la boca que llevaba bien abierta. Dio pequeños pasos hacia el podio, sin que los tobillos se movieran mucho más allá de los dedos de los pies. El Coronel me dio un codazo y señaló su cuaderno, donde había escrito: "El Anciano sólo tiene un pulmón" y no lo dudé. Sus respiraciones audibles, casi desesperadas, me recordaron cuando mi abuelo se estaba muriendo de cáncer de pulmón. Con el pecho grande y redondo, viejísimo, me pareció que el Anciano podía morir antes de llegar al podio.

—Yo soy —se presentó— el doctor Hyde. Tengo un nombre de pila, por supuesto. En lo que a ustedes concierne es "doctor". Sus padres pagan mucho dinero para que ustedes puedan asistir a esta escuela, y yo espero que les ofrezcan algo a cambio de su inversión al leer lo que les pido que lean, cuando les pido que lo hagan y al asistir constantemente a esta clase. Cuando estén aquí, escucharán lo que yo diga —era claro que no íbamos a alcanzar una calificación fácil.

—Este año estudiaremos tres tradiciones religiosas: el islam, el cristianismo y el budismo. El año que entra nos enfocaremos en más tradiciones. En mis clases, yo hablaré la mayor parte del tiempo y ustedes escucharán la mayor parte del tiempo. Porque puede ser que sean listos, pero yo he sido listo más tiempo. Estoy seguro de que a algunos de ustedes no les gustarán las clases tipo conferencia pero, como habrán notado, no soy tan joven como solía serlo. Me encantaría utilizar lo que me queda de aliento hablando con ustedes acerca de lo más importante de la historia islámica, pero nuestro tiempo juntos es corto. Yo debo hablar y ustedes, escuchar, porque estamos participando aquí en la búsqueda más importante de la historia: la búsqueda del significado. ¿Cuál es la naturaleza de ser una persona? ¿Cuál es la mejor manera de ser una persona? ¿Cómo llegamos a ser y qué será de nosotros cuando ya no seamos? En pocas palabras: ¿cuáles son las reglas de este juego y cuál es la mejor manera de jugarlo?

"La naturaleza del laberinto —garabateé en mi cuaderno de arillos— y la manera de salir de él." Este profesor era fantástico. Yo detestaba las clases de debates. Detestaba hablar, detestaba oír cómo todos los demás se tropezaban con sus palabras e intentaban formular las cosas de la manera más vaga posible para no sonar tontos, y detestaba que todo fuera un juego en el que uno intentaba dilucidar lo que el profesor quería oír y luego decía. Estoy en clase, así que enséñenme. Y me enseñó. En esos cincuenta minutos, el Anciano me hizo tomar en serio la religión. Yo nunca había sido religioso pero él nos dijo que la religión es importante, ya sea que creyéramos o no en alguna; de la misma manera en que los acontecimientos históricos son importantes, los hayas vivido tú mismo o no. Luego nos asignó cincuenta páginas de lectura para el día siguiente, de un libro llamado *Estudios religiosos*.

Esa tarde, tuve dos clases y dos horas libres. Asistíamos a nueve clases de cincuenta minutos diarios, lo que significaba que casi todos los alumnos cumplían con tres "horas de estudio" (menos el Coronel, que tomaba una clase extra de matemáticas de estudio independiente debido a que era un genio extra especial). El Coronel y yo tuvimos biología juntos, en donde le señalé al otro tipo que me había cubierto de cinta de embalaje la noche anterior. En una de las esquinas superiores de su cuaderno, el Coronel escribió: "Longwell Chase, Guerrero Semanero en jefe. Amigo de Sara. ¡Qué raro!". Me llevó un minuto recordar quién era Sara: la novia del Coronel.

Pasé mis tiempos libres en mi habitación, intentando leer sobre religión. Entonces aprendí que *mito* no significa mentira; significa una historia tradicional que te dice algo acerca de las personas, su visión del mundo y lo que consideran sagrado. Interesante. También aprendí que después de los acontecimientos de la noche anterior, estaba demasiado cansado para que me importaran los mitos o cualquier otra cosa, así que dormí encima de las cobijas la mayor parte de la tarde hasta que me despertó la voz de Alaska que cantaba: "¡Despierta, Gordo, despierta!" directamente en el oído izquierdo. Apreté fuerte el libro de religión contra mi pecho como si fuera una protección de cubierta blanda para evitar la ansiedad.

—Eso fue terrible —protesté—. ¿Qué necesito hacer para asegurarme de que nunca me vuelva a ocurrir?

—¡No puedes hacer nada! —exclamó, emocionada—. Soy impredecible. Dios, ¿no detestas al doctor Hyde? ¿No? Es tan condescendiente.

Me incorporé y la contradije:

—Creo que es un genio —en parte porque era cierto y en parte porque tenía ganas de estar en desacuerdo con ella.

—¿Siempre duermes vestido? —se sentó sobre la cama.

—Ajá.

—¡Qué raro! Anoche no traías mucho puesto.

La miré con ojos de pistola.

—Anda, Gordo. Estoy bromeando. Tienes que ser duro aquí. No sabía lo mal que te había ido; lo siento, se van a arrepentir, pero tienes que ser duro.

Luego se fue. Eso fue todo lo que dijo sobre el tema. Pensé: "Es linda, pero no necesitas una chica que te trate como si tuvieras diez años. Ya tienes una mamá".

CIENTO VEINTIDÓS DÍAS ANTES

Al terminar mi última clase de la primera semana en Culver Creek, entré a la habitación 43 y me topé con una visión inverosímil: el Coronel, diminuto y sin camisa, estaba encorvado sobre un burro de planchar, al ataque de una camisa rosa de botones. De su frente y su pecho escurría sudor mientras planchaba con gran entusiasmo, empujando la plancha con el brazo derecho a todo lo largo de la camisa; lo hacía con tanto vigor que su respiración casi duplicaba la del doctor Hyde.

—Tengo una cita —explicó—. Es una emergencia —hizo una pausa para recuperarse—. ¿Sabes —respiró— planchar?

Me acerqué a la camisa rosa. Estaba arrugada como una viejita que hubiera pasado su juventud bajo el sol. Si tan sólo el Coronel no hiciera bolita cada una de sus pertenencias ni las metiera a la fuerza en cualquier cajón de la cómoda que se le ocurriera.

—Creo que sólo enciendes la plancha y la oprimes contra la camisa, ¿no? —deduje—. No sé. Ni siquiera sabía que tuviéramos una plancha.

—No tenemos. Es de Takumi. Pero Takumi tampoco sabe planchar. Y cuando le pregunté a Alaska, empezó a gritar: "¡No vas a imponer el paradigma patriarcal sobre mí!". ¡Oh, Dios!, necesito fumar. Necesito fumar, pero no puedo apestar a cigarro cuando vea a los padres de Sara. Bueno, qué más da. Vamos a fumar en el baño con la regadera abierta. La regadera tiene vapor. El vapor deshace las arrugas, ¿verdad? Por cierto —continuó mientras lo seguía al baño—, si quieres fumar adentro durante el día, sólo abre la llave de la regadera. El humo sigue al vapor hacia las rejillas de ventilación.

Aun cuando esto no tenía sentido científico, parecía funcionar. La escasez de agua por el nivel de presión de la regadera y el aspersor bajo la volvían inútil para ducharse, pero funcionaba de maravilla como pantalla de humo.

Fue triste, pero no funcionó como plancha. El Coronel intentó planchar la camisa de nuevo ("sólo voy a empujar la plancha con ganas a ver si eso ayuda"), pero al final se la puso arrugada. Combinó la camisa con una corbata azul decorada con líneas horizontales de pequeños flamencos color rosa.

—Lo único que mi padre bueno para nada me enseñó —dijo el Coronel, mientras sus manos anudaban la corbata para hacer el nudo perfecto— fue cómo anudar una corbata. Eso es raro, porque no me imagino cuándo ha necesitado usar una.

Entonces, Sara tocó la puerta. La había visto una o dos veces, pero el Coronel nunca me la presentó y tampoco lo hizo esa noche.

—¡Oh, Dios! ¿Ni siquiera pudiste planchar tu camisa? —preguntó, aun cuando el Coronel estaba de pie frente al burro de planchar—. Vamos a salir con mis padres.

Sara se veía muy, muy linda en su vestido azul de verano. Se había levantado el cabello largo, rubio pálido, en un chongo del que caía un mechón a cada lado de la cara. Parecía una estrella de cine, una fenomenal.

—Mira, hice lo mejor que pude. No todos tenemos sirvientas que nos planchen.

—Chip, ese peso en tu hombro hace verte aún más bajo de estatura.

—¡Rayos! ¿Qué no podemos salir por la puerta sin pelear?

—Sólo digo. Se trata de la ópera. A mis padres les importa mucho. Como sea, vámonos —yo quería irme, pero me parecía tonto esconderme en el baño y Sara estaba parada en la puerta; tenía una mano en la cintura y con la otra jugaba con las llaves de su coche, como diciendo "ya vámonos".

—¡Podría ponerme un esmoquin y tus padres me detestarían de cualquier manera! —gritó.

—¡Ésa no es mi culpa! ¡Tú los contradices! —Sara le puso las llaves del coche enfrente—. Mira, o nos vamos ahora o no vamos.

—¡Entonces, ni madres! Yo no voy a ninguna parte contigo —dijo el Coronel.

—Muy bien. Que la pases bien —Sara azotó la puerta tan fuerte que una biografía de buen tamaño de León Tolstoi (últimas palabras: "La verdad es que... me importa mucho... lo que ellos...") se cayó de mi estante de libros e hizo un ruido sordo en el piso de cuadros, como el eco de la puerta al azotarse.

—¡Ahhhhh! —gritó.

—Así que ésa es Sara —dije.

—Sí.

—Parece buena gente.

—El Coronel se rio, se arrodilló junto al minirrefri y sacó un galón de leche. Lo abrió, tomó un trago, respingó, medio tosió y se sentó en el sofá, con la leche entre las piernas.

—¿Está agria o algo así?

—Ah, debí mencionarlo antes. No es leche. Son cinco partes de leche y una parte de vodka. Yo lo llamo *ambrosía*: la bebida de los dioses. Apenas puedes oler el vodka en la leche, así que el Águila no me puede atrapar a menos que beba un sorbo. El inconveniente es que sabe a leche agria y a alcohol de curación; pero es viernes por la noche, Gordo, y mi novia es una perra. ¿Quieres un poco?

—Creo que paso —aparte de unos cuantos tragos de champaña en Año Nuevo bajo los ojos vigilantes de mis padres, nunca había bebido alcohol y la "ambrosía" no parecía ser la bebida adecuada para iniciarme. Afuera, oí sonar el teléfono de monedas. Aun cuando 190 alumnos compartían cinco teléfonos de monedas, me maravillaba lo poco que sonaban. Se suponía que no debíamos tener teléfonos celulares, pero había observado que algunos Guerreros Semaneros los llevaban a escondidas. Y la mayoría de los no Guerreros llamaban a sus padres con regularidad, como yo, así que los padres sólo llamaban cuando a sus hijos se les olvidaba.

—¿Vas a contestar? —me preguntó el Coronel. No tenía ganas de que él me mandara, pero tampoco tenía ganas de pelear.

Así que al anochecer, rodeado de insectos, caminé hasta el teléfono de monedas que estaba montado en la pared entre las habitaciones 44 y 45. En ambos lados del teléfono había docenas de números y notas casi esotéricas escritas con pluma y marcador (*20-55-55-15-84; Tommy al aeropuerto, 4:20; 77-57-65-21; ¿JG-Kuffs?*).

Llamar al teléfono de monedas requería gran paciencia. Lo descolgué luego de que sonara como nueve veces.

—¿Puedes llamar a Chip? —preguntó Sara. Sonaba como si estuviera llamando desde un teléfono celular.

—Sí, espera un momento.

Volteé y ya estaba detrás de mí, como si hubiera sabido que sería ella. Le di el auricular y regresé a la habitación.

Un minuto después, tres palabras resonaron hasta la habitación a través del aire quieto, grueso, de un anochecer en Alabama.

—¡Jódete tú también! —gritó el Coronel.

De regreso en la habitación, se sentó con su "ambrosía" y me platicó:

—Dice Sara que fui yo quien acusó a Paul y a Marya. Eso están diciendo los Guerreros: que yo fui el soplón. Yo. Por eso los orines en los zapatos. Por eso casi te matan. Porque tú vives conmigo y dicen que yo los delaté.

Intenté recordar quiénes eran Paul y Marya. Los nombres me sonaban conocidos, pero había oído muchos nombres en la última semana y a "Paul" y a "Marya" no los ubicaba con rostros. Luego recordé por qué: nunca los había visto. Los expulsaron el año anterior, por cometer una "trifecta".

—¿Cuánto tiempo llevas saliendo con ella? —pregunté.

—Nueve meses. Nunca nos llevamos bien. Digo, ni siquiera en un principio me gustó. Por ejemplo, mi mamá y mi papá: mi papá se enojaba y golpeaba a mi mamá a lo bestia. Luego mi papá se portaba todo lindo y tenían un periodo como de luna de miel. Pero con Sara nunca hay luna de miel. ¡Rayos! ¿Cómo pudo pensar que yo era el soplón? Ya sé, ya sé. ¿Por qué no terminamos? —pasó una mano por su cabello y lo agarró con el puño en la coronilla de su cabeza—. Creo que sigo con ella porque ella sigue conmigo. Y eso no es fácil de hacer. Soy un mal novio. Ella es una mala novia. Nos merecemos uno al otro.

—Pero...

—No puedo creer que piensen eso —dijo, mientras caminaba hasta el estante de libros y bajaba el almanaque. Bebió un sorbo largo de su "ambrosía"—. Malditos Guerreros Semaneros. Probablemente fue uno de ellos el que delató a Paul y a Marya, y luego me culpó para cubrirse las espaldas. De todos modos, es una buena noche para quedarse en casa. Quedarse con el Gordo y la "ambrosía".

—Yo todavía... —quise decir que no entendía cómo podías besar a alguien que creías que fueras un soplón, si ser soplón era lo peor en el mundo; pero el Coronel no me dejó seguir.

—No quiero oír más del tema. ¿Sabes cuál es la capital de Sierra Leona?

—No.

—Yo tampoco, pero tengo la intención de averiguarlo —con eso, metió la nariz en el almanaque y la conversación terminó.

CIENTO DIEZ DÍAS ANTES

Seguir el paso a mis clases resultó más fácil de lo que esperaba. Mi inclinación general a pasar mucho tiempo leyendo me dio una clara ventaja sobre el estudiante promedio de Culver Creek. Para la tercera semana de clases, a muchos chicos se les había tostado la piel de un color café dorado tipo *bufrito* gracias al tiempo que pasaban platicando afuera, en el círculo sin sombras de los dormitorios, durante los periodos libres. Pero yo apenas estaba rosa: yo estudiaba.

Y ponía atención en las clases. Pero esa mañana de miércoles, cuando el doctor Hyde comenzó a hablar sobre cómo los budistas creen que todas las cosas están interrelacionadas, me encontré divagando, mirando afuera por la ventana. Estaba viendo la colina arbolada, de leve inclinación, más allá del lago. Desde el salón de la clase de Hyde, las cosas sí parecían conectadas. Los árboles parecían vestir la colina pero, así como nunca se me hubiera ocurrido observar en particular un hilo de algodón de la fantástica camiseta de tirantes color naranja que Alaska traía ceñida ese día, no podía ver los árboles por ver el bosque: todo estaba tan intrínsecamente entretejido que no tenía sentido para mí pensar en un árbol aislado de esa colina. Luego oí mi nombre y supe que estaba en problemas.

—Señor Halter —dijo el Anciano—. Aquí estoy, forzando mis pulmones para su edificación. Sin embargo, hay algo afuera que parece haber captado su atención de una manera tal que yo no he logrado. Dígame, por favor, señor Halter ¿qué es lo que ha descubierto allá fuera?

Entonces sentí cómo mi propia respiración se entrecortaba. La clase entera me miraba, agradecida de no ser yo. El doctor Hyde ya había hecho esto tres veces, sacar a los chicos de clase por no prestar atención o por mandarse notas unos a otros.

—Eh, estaba mirando afuera, ah, a la colina, y pensando en, eh, los árboles y el bosque, como decía usted antes, sobre la manera en que...

El Anciano, que por supuesto no toleraba las divagaciones orales, me interrumpió:

—Le voy a pedir que salga de la clase, señor Halter, para que pueda ir afuera y descubra la relación entre los eh-árboles y el ah-bosque. Y mañana, cuando esté listo para tomar esta clase en serio, le daré la bienvenida de regreso.

Me senté petrificado, con la pluma en la mano, el cuaderno abierto, la cara sonrojada y la mandíbula inferior proyectada hacia fuera, un viejo truco que usaba para evitar verme triste o temeroso. Dos filas detrás de mí, oí una silla que se movía y me di la vuelta para ver a Alaska ponerse de pie, con su mochila colgando de un brazo.

—Lo siento, pero eso es una tontería. No lo puede sacar de clase. Usted habla monótonamente una hora todos los días, ¿y a nosotros no se nos permite ni mirar por la ventana?

El Anciano miró de manera intensa a Alaska, como un toro a un torero; luego levantó una mano hacia su rostro hundido y se frotó con lentitud la incipiente barba blanca en su mejilla:

—Durante cincuenta minutos al día, cinco días a la semana, ustedes siguen mis reglas. O reprueban. La elección es suya. Los dos, váyanse.

Metí el cuaderno en mi mochila y salí de allí, humillado. Al cerrarse la puerta tras de mí, sentí una palmadita en mi hombro izquierdo. Me volví, pero no había nadie. Luego vi al otro lado y Alaska me estaba sonriendo, la piel entre los ojos y la sien arrugada y convertida en un estallido de estrellas.

—Es el truco más viejo del mundo —dijo—, pero todos caen en él.

Intenté sonreír, pero no podía dejar de pensar en el doctor Hyde. Fue peor que el incidente con cinta de embalaje, porque siempre supe que a los Kevin Richman del mundo yo no les caía bien. Pero mis profesores siempre habían sido miembros con credencial del Club de Fans de Miles Halter.

—Te dije que era un imbécil —me dijo ella.

—Sigo pensando que es un genio. Tenía razón. Yo no estaba escuchando.

—Cierto, pero no tenía que portarse como un imbécil por eso. ¡Como si necesitara probar su poder humillándote! De todas maneras, los únicos genios verdaderos son artistas: Yeats, Picasso, García Márquez: genios. El doctor Hyde es un anciano amargado.

Luego anunció que iríamos a buscar tréboles de cuatro hojas hasta que terminara la clase y pudiéramos fumar con el Coronel y Takumi, ambos "tremendos imbéciles" por no salirse de clase tras nosotros.

Cuando Alaska Young se sentaba con las piernas cruzadas sobre un frágil campo de tréboles, verde en ciertas épocas del año, y se inclinaba hacia adelante en busca de tréboles de cuatro hojas, el tamaño del escote dejaba ver con claridad una piel pálida; entonces era evidente que la fisiología humana hacía imposible unirse a la búsqueda de tréboles de cuatro hojas. Yo ya me había metido en suficientes problemas por mirar hacia donde se suponía no debía hacerlo, pero de cualquier manera...

Después de tal vez dos minutos de peinar un sembradío de tréboles con sus uñas sucias, largas, Alaska tomó un trébol completo de tres pétalos y un pétalo pequeño, como un tocón, y me miró fijamente dándome apenas suficiente tiempo de mirar hacia otro lado.

—Aun cuando evidentemente no estás haciendo tu parte en la búsqueda de tréboles, "perver" —dijo irónica—, de verdad te daría este trébol; pero la suerte es para los tontos —tomó el pétalo tocón entre las uñas del pulgar y el índice y lo arrancó—. Ya estás —le dijo al trébol cuando lo soltó—, ya no eres una rareza genética.

—Ah, gracias —reclamé. La campana sonó y Takumi y el Coronel fueron los primeros en salir por la puerta. Alaska los miró fijamente.

—¿Qué? —preguntó el Coronel. Pero ella sólo miró arriba y empezó a caminar. Seguimos en silencio por el círculo de dormitorios y atravesamos el campo de futbol. Nos agachamos para meternos en el bosque, siguiendo un leve sendero alrededor del lago hasta que llegamos a un camino de terracería. El Coronel corrió hacia Alaska y empezaron a pelearse por algo en voz tan baja que no podía yo ni oír las palabras ni el disgusto mutuo; al final le pregunté a Takumi hacia dónde nos dirigíamos.

—Este camino termina en el granero —me informó—. Así que quizá allá vamos. O probablemente hacia el agujero donde fumamos. Ya verás.

A partir de ahí, el bosque era una criatura del todo distinta a lo que se podía ver desde el salón de clases del doctor Hyde. El suelo era espeso debido a las ramas caídas, las agujas de pino en descomposición y los arbustos verdes llenos de ramas; el camino daba vueltas junto a pinos que crecían altos y delgados cuyas agujas, como principios de barbas, proporcionaban un encaje de sombra para otro día de sol quemante. Y los árboles más pequeños, los robles y los maples, que desde la clase del doctor Hyde habían resultado invisibles bajo los pinos más majestuosos, mostraban indicios de otro otoño aún —térmicamente— imprevisible: sus hojas aún verdes empezaban a caer.

Llegamos a un desvencijado puente de madera contrachapada gruesa, colocada sobre una base de concreto encima del arroyo Culver, el riachuelo serpenteante que regresaba una y otra vez por las afueras de los terrenos de la escuela. Del lado lejano del puente había un sendero diminuto que llevaba a una empinada pendiente.

No era tanto un sendero sino una serie de insinuaciones de que por ahí había pasado gente anteriormente: una rama quebrada aquí, un trozo de pasto pisoteado allá. Al recorrerlo en fila india, Alaska, el Coronel y Takumi, cada uno empujaba hacia atrás una rama gruesa de maple para que pasara el siguiente hasta que yo, el último de la fila, la dejé regresar a su lugar tras de mí. Y allí, bajo el puente, un oasis. Una mesa de concreto, de noventa centímetros de ancho y tres metros de largo, con sillas de plástico azul robadas mucho tiempo atrás de algún salón de clase. Refrescado por el arroyo y la sombra del puente, no me sentí acalorado por primera vez en semanas.

El Coronel distribuyó los cigarros. Takumi los pasó; Alaska y yo encendimos uno.

—No tiene ningún derecho a ser condescendiente con nosotros, es todo lo que digo —continuaba Alaska su conversación con el Coronel—. El Gordo ya no vuelve a mirar por la ventana ni yo a soltar otra perorata sobre el tema, pero es un profesor terrible y no me convencerás de lo contrario.

—Está bien —dijo el Coronel—. Nada más no vuelvas a hacer otra escena. ¡Por Dios!, casi matas al pobre anciano bastardo.

—De verdad, nunca ganarás haciendo enojar a Hyde —dijo Takumi—. Te comerá viva, te hará mierda y luego se orinará encima de ti. Lo que, por cierto, deberíamos hacerle a quienquiera que haya delatado a Marya. ¿Alguien ha oído algo?

—Debe haber sido algún Guerrero Semanero. Pero parece que piensan que fue el Coronel. Así que quién sabe. Tal vez fue el día de suerte del Águila. Ella era tonta y la pescaron, la expulsaron y se acabó. Eso pasa cuando eres tonta y te pescan —dijo Alaska y formó una letra o con sus labios, moviendo la boca como si fuera un pez dorado que come. Trataba, sin éxito, de soplar anillos de humo.

—¡Vaya! —reclamó Takumi—. Si alguna vez me expulsan, recuérdame saldar la cuenta yo mismo porque ya veo que no puedo contar contigo.

—No seas ridículo —respondió ella, no tanto enojada como con un aire conciliatorio—. No entiendo por qué estás tan obsesionado en averiguar todo lo que sucede aquí, como si tuviéramos que descifrar todos los misterios. Por Dios, ya terminó. Takumi, tienes que dejar de robarte los problemas de otras personas y hacerte de algunos propios.

Takumi volvió a comenzar, pero Alaska levantó la mano como para espantar la conversación.

Me quedé callado. Yo no había conocido a Marya y, de cualquier modo, "escuchar en silencio" era mi estrategia social en general.

—De todas maneras —me comentó Alaska—, me pareció que la manera en que te trató fue horrorosa. Yo quería llorar. Quería besarte y sanarte.

—Qué lástima que no lo hiciste —dije con cara de palo y todos se rieron.

—Eres adorable —afirmó, y sentí la intensidad de sus ojos sobre mí y desvié la mirada, nervioso—. Qué pena que quiero a mi novio.

Miré las raíces de los árboles a la orilla del arroyo, tratando de no verme como si acabaran de llamarme adorable.

Takumi tampoco lo podía creer y se me acercó, revolviéndome el pelo con la mano, y comenzó a cantarle un rap a Alaska:

—*Sí, el Gordo es adorable / pero tú lo quieres deleznable / así que Jake es soportable / por ser tan...* ¡Maldición! ¡Maldición! Casi tenía cuatro rimas con adorable. Pero sólo se me ocurrió *inaferrable*, que ni siquiera es palabra.

—Eso hizo que dejara de estar enojada contigo —Alaska se rio—. ¡Oh, Dios!, el rap es *sexy*. Gordo, ¿sabías acaso que estabas en presencia del maestro de ceremonias más mordaz de Alabama?

—Eh, no.

—Suelta un ritmo, Coronel Catástrofe —dijo Takumi y yo me reí ante la idea de que un tipo de estatura tan baja y tan inepto como el Coronel tuviera un nombre de rapero. El Coronel ahuecó la mano en forma de taza y empezó a hacer algunos ruidos absurdos que supongo eran ritmos: *puh–chi, puh–puhpuh–chi.*

Takumi se rio y entonó:

—*Aquí mismo, por el río, ¿quieres que lo diga?* / *Si tu humo fuera dulce, sin duda sería ortiga.* / *Mis rimas son de alta escuela, como de la Roma antigua.* / *El ritmo del Coronel es triste, de los grandes novelistas.* / *A veces me acusan de ser artista.* / *Puedo rimar rápido y puedo rimar lento, amigo arribista.* / —hizo una pausa, respiró y terminó—: *Como Emily Dickinson, no le temo a las rimas aveniadas.* / *Y éste es el final del verso, el MC va en picada.*

Yo no distingo las rimas aveniadas de las rimas regulares, pero me impresionó de manera muy grata. Le dimos a Takumi un aplauso suave. Alaska se terminó su cigarrillo y, con un golpecito rápido, lo echó al río.

—¿Por qué fumas tan condenadamente rápido?

Me miró y sonrió de oreja a oreja; una sonrisa tan ancha en su cara estrecha podría haberse visto tonta a no ser por el elegante verde, sin reproches, de sus ojos. Sonrió con todo el deleite propio de un niño en la mañana de Navidad y dijo:

—Todos ustedes fuman para gozarlo. Yo fumo para morir.

CIENTO NUEVE DÍAS ANTES

Al día siguiente, la cena en la cafetería era carne mechada, uno de los pocos platillos que no llegaban refritos y, quizá por esa razón, la carne mechada era el mayor fracaso de Maureen: una mezcolanza fibrosa y empapada en jugo de carne que no tenía cara de nada ni sabía mucho a carne. Aun cuando nunca me había subido en él, parece que Alaska tenía un coche y se ofreció a llevarnos al Coronel y a mí a McDonald's, pero el Coronel no tenía dinero y yo tampoco tenía mucho, por eso de mantenerle su extravagante hábito de fumar.

Así que, en vez de eso, el Coronel y yo recalentamos dos *bufritos* que tenían dos días. A diferencia de, por ejemplo, las papas fritas, un *bufrito* calentado en el microondas no pierde nada de su sabor ni de su crujido que satisface. Después de cenar, el Coronel insistió en asistir al primer juego de basquetbol de la temporada.

—¿Basquetbol en otoño? —le pregunté al Coronel—. Yo no sé mucho de deportes, ¿pero qué en otoño no se juega futbol americano?

—Las escuelas de nuestra liga son demasiado pequeñas para tener equipos de futbol americano, así que jugamos basquetbol en otoño. Aunque, hombre, el equipo de futbol americano de Culver Creek sería una belleza. Tu flacucho trasero probablemente sería el delantero. De cualquier manera, los juegos de basquetbol son fantásticos.

Yo detestaba los deportes. Detestaba los deportes y detestaba a las personas que los jugaban y detestaba a las personas que los veían y detestaba a las personas que no detestaban a las personas que los veían o los jugaban.

En tercer año, el último cuando uno puede jugar en el tipo de beisbol denominado T-ball, mamá quería que yo hiciera amigos, así que me obligó a unirme a los Piratas de Orlando. Por supuesto que hice amigos: un montón de niños de kínder, lo que no hizo mucho por subir mis bonos sociales con mis compañeros. Sobre todo, debido a que era altísimo comparado con el resto de los jugadores, casi entro al equipo de estrellas de T-ball ese año. El niño que me ganó ese lugar, Clay Wurtzel, tenía sólo un brazo. Yo era un niño de tercer año extrañamente alto, con dos brazos, y me ganó un niño de kínder, Clay Wurtzel. Y tampoco era cosa de decir: "Ay-pobre-niño-que-sólo-tiene-un-brazo". No. Clay Wurtzel podía pegarle a la pelota de un jalón, mientras yo a veces hacía un *strike* aun con la pelota colocada sobre el *tee*. Una de las cosas que más me atraían de Culver Creek era que, como papá me aseguró, uno no tenía que llevar educación física.

—Sólo una vez hago a un lado mi odio apasionado por los Guerreros Semaneros y su fastidio del *country-club* —me dijo el Coronel—: cuando encienden el aire acondicionado en el gimnasio para un pequeño juego de basquetbol de Culver Creek a la antigüita. No te puedes perder el primer juego del año.

Conforme caminábamos hacia el hangar de aeroplanos que parecía el gimnasio, el cual había visto pero al cual nunca se me ocurrió siquiera acercarme, el Coronel me explicó lo más importante acerca de nuestro equipo de basquetbol: no era muy bueno. La "estrella" del equipo, explicó, era un alumno del último año, Hank Walsten, que jugaba la posición de alero a pesar de medir 1.70. La razón principal de la fama de Hank en los terrenos de la escuela era que siempre tenía yerba, y durante cuatro años había iniciado todos los juegos sin estar sobrio una sola vez.

—Le gusta tanto la yerba como a Alaska le gusta el sexo —comparó el Coronel—. Es un hombre que una vez construyó una pipa de agua para fumar utilizando única y exclusivamente el cañón de un rifle de aire, una pera madura y una fotografía brillante de 20 × 25 cm de Anna Kournikova. No es el más brillante de todos, pero hay que admirar su dedicación enfocada al consumo de drogas.

Después de Hank, me siguió explicando el Coronel, las cosas se iban para abajo hasta Wilson Carbod, el centro, de casi 1.80 de alto.

—Somos tan malos —dijo el Coronel— que ni siquiera tenemos mascota. Nos llaman los Nadas de Culver Creek.

—¿Así que sólo dan lástima? —pregunté. No entendía bien de qué servía ver cómo un equipo tan malo se llevaba una golpiza, pero el aire acondicionado fue suficiente razón para mí.

—Sí, dan lástima —contestó el Coronel—, pero siempre le partimos la madre a los de la escuela para sordos y ciegos. En apariencia, el basquetbol no es una gran prioridad de la Escuela de Alabama para Sordos y Ciegos, así que solemos terminar la temporada con una sola victoria.

Cuando llegamos, el gimnasio estaba atestado de casi todos los alumnos de Culver Creek. Observé, por ejemplo, que las tres *darquetas* del Creek se delineaban los ojos ya sentadas en la fila más alta de las gradas del gimnasio. Nunca había asistido en casa a un juego escolar de basquetbol, pero dudaba que las multitudes incluyeran a tantos grupos. Aun así, me sorprendió que el mismísimo Kevin Richman se sentara en la grada que quedaba directo frente a la mía, mientras el equipo de porristas de la escuela contrincante (cuyos desafortunados colores escolares eran café lodoso y amarillo pipí deshidratada) intentaba encender los ánimos de la pequeña sección de visitantes perdida entre la multitud. Kevin se dio la vuelta y miró fijamente al Coronel.

Como la mayoría de los demás Guerreros varones, Kevin se vestía muy fresa, como un abogado que disfruta el golf a la espera de que la vida lo voltee a ver. Su cabello, cual mechudo rubio, corto a los lados y puntiagudo arriba, siempre estaba empapado con tanto gel que se veía todo mojado. Yo no lo odiaba tanto como el Coronel, claro está, porque el Coronel lo odiaba por principio y el odio por principio es infinitamente más fuerte que el odio de "¡Vaya, quisiera que no me hubieran momificado y lanzado al lago!" Aun así, intenté mirarlo de manera intimidatoria conforme él miraba al Coronel, pero era difícil olvidar que este tipo había visto mi flaco trasero con nada encima excepto el bóxer un par de semanas antes.

—Tú delataste a Paul y a Marya. Te la devolvimos. ¿Tregua? —preguntó Kevin.

—Yo no los delaté. El Gordo aquí presente sin duda no los delató, pero tú lo incluiste en tu diversión. ¿Tregua? Mmm. Déjame averiguar rápido la opinión de todos —las porristas se sentaron, deteniendo sus pompones cerca del pecho, como si estuvieran rezando—. Oye, Gordo —consultó el Coronel—, ¿qué opinas de una tregua?

—Me recuerda cuando los alemanes exigieron que Estados Unidos se entregara en la Batalla del Bulge —opiné—. Creo que respondería a este ofrecimiento con lo que respondió el general McAuliffe en esa ocasión: ni locos.

—¿Por qué querrías matar a este tipo, Kevin? Es un genio. Ni locos aceptamos tu tregua.

—Anda, bróder. Yo sé que tú los delataste y nosotros teníamos que defender a nuestro amigo... ahora ya terminó. Terminémoslo —parecía muy sincero, quizá debido a la reputación del Coronel para las travesuras.

—Te propongo un trato: tú eliges a un presidente norteamericano muerto; si el Gordo no se sabe las últimas palabras de ese tipo, hay tregua; si sí se las sabe, lamentarás el resto de tu vida haberte orinado en mis zapatos.

—Eso suena ridículo.

—Está bien, no hay tregua —le espetó el Coronel.

—Bien. Millard Fillmore —dijo Kevin.

El Coronel me vio apesadumbrado, preguntando con la mirada: "¿Ese tipo fue presidente?". Yo sólo sonreí.

—Cuando Fillmore iba a morir, estaba superhambriento. Pero su médico estaba intentando matar de hambre a su fiebre o algo así. Fillmore insistía en que tenía hambre, así que por fin el doctor le dio una cucharadita de sopa. Sarcástico, Fillmore dijo: "El alimento es apetitoso" y luego murió. No hay tregua.

Kevin miró hacia arriba, se alejó y se me ocurrió que podría haberle inventado cualesquiera últimas palabras a Millard Fillmore y Kevin me habría creído de todas maneras, si hubiera utilizado ese mismo tono de voz, ahora que sentía cómo se me pegaba la confianza del Coronel.

—¡Es el primer momento en que has sido un ojete! —rio el Coronel—. Es cierto que te di un blanco fácil. Pero de todas maneras, bien hecho.

Para desgracia de los Nadas de Culver Creek, no estábamos jugando contra la Escuela de Sordos y Ciegos, sino contra alguna escuela cristiana del centro de Birmingham, un equipo integrado con gigantescos y enormes gorilas de barbas gruesas y fuerte aversión a poner la otra mejilla.

Al final del primer tiempo: 20-4.

Entonces empezó la diversión. El Coronel llevaba la batuta de toda la animación.

—¡Pan de maíz! —gritó.

—¡Pollo! —respondió la multitud.

—¡Arroz!

—¡Chícharos!

Y luego, todos juntos:

—¡Nosotros tenemos mejores pruebas de aptitud escolar!

—¡Hip, hip, hip, hurra! —gritó el Coronel.

—¡Ustedes trabajarán para nosotros algún día!

—Las porristas del equipo opuesto intentaban responder con: "¡El techo, el techo, el techo se está incendiando! ¡El infierno está en tu futuro, si te la pasas deseando!", pero siempre lo hacíamos un poco mejor que ellos.

—¡Compras!

—¡Vendes!

—¡Cambias!

—¡Trocas!

—¡Ustedes serán más grandes, en cambio nosotros somos más rocas!

Cuando los visitantes lanzan un pase libre en la mayoría de las canchas de Estados Unidos, los aficionados hacen mucho ruido, gritan y golpean con los pies. No funciona, porque los jugadores aprenden a no oír el ruido. En Culver Creek, teníamos una estrategia mucho mejor. Al principio, todos gritaban como en un juego normal. Pero luego todos decían: *"¡Shhh!"* y se hacía un silencio absoluto. Justo cuando el odiado oponente dejaba de driblar con la pelota y se preparaba para su tiro, el Coronel se ponía de pie y gritaba algo así como:

—¡Por el amor de Dios, rasúrate por favor el pelo de atrás!

O:

—¡Me muero! ¡Alguien que me salve! ¡¿Podrías bendecirme después de tirar?!

Al final del tercer tiempo, el entrenador de la escuela cristiana llamó a un intermedio y se quejó del Coronel con el réferi, señalándolo furioso. Íbamos 56-13. Ante esta queja el Coronel se puso de pie y reaccionó:

—¡¿Qué?! ¡¿Tienes un problema conmigo!?

El entrenador gritó:

—¡Estás molestando a mis jugadores!

—¡De eso se trata, Sherlock! —contestó el Coronel. El réferi se acercó y lo expulsó del gimnasio. Yo lo seguí.

—Me han expulsado de treinta y siete juegos seguidos —me comentó.

—¡Maldición!

—Sí. Una o dos veces he debido enloquecer de veras. Una vez corrí dentro de la cancha cuando quedaban once segundos del juego y le robé el balón al otro equipo. No fue bonito, pero tú sabes: tengo una fama qué mantener.

El Coronel se echó a correr, jubiloso de que lo hubieran expulsado del juego, y yo troté tras él siguiendo su estela. Yo quería ser una de esas personas que tienen fama, fama que mantener, y que queman el suelo con su intensidad. Pero, por ahora, al menos conocía a esas personas y ellas me necesitaban, como los cometas necesitan colas.

CIENTO OCHO DÍAS ANTES

Al día siguiente, el doctor Hyde me pidió que me quedara después de clase. De pie delante de él, por primera vez noté cuán encorvados tenía los hombros y de pronto me pareció triste y un poco viejo.

—¿Te gusta esta clase, verdad? —preguntó.

—Sí, señor.

—Tienes una vida entera para ponderar sobre el entendimiento budista de la interconexión —pronunciaba cada frase como si la hubiera escrito, memorizado y ahora la estuviera recitando—. Pero mientras mirabas por la ventana, perdiste la oportunidad de explorar la creencia budista, igual de interesante, de estar presente en cada faceta de tu vida diaria, de estar verdaderamente presente. Está presente en esta clase. Y luego, cuando haya terminado, está presente allá fuera —dijo, señalando hacia el lago y más allá.

—Sí, señor —asentí.

CIENTO UN DÍAS ANTES

En la primera mañana de octubre, supe que algo estaba mal casi desde que desperté para apagar la alarma del reloj. La cama no olía como debía. Y yo no me sentía como debía. Me llevó un atolondrado minuto darme cuenta: sentía frío. Bueno, cuando menos, el pequeño ventilador colocado en mi litera con un clip, de pronto parecía innecesario.

—¡Hace frío! —grité.

—¡Oh, Dios! ¿Qué hora es? —oí arriba de mí.

—Ocho cero cuatro —respondí.

El Coronel, que no tenía un reloj de alarma pero casi siempre se levantaba a bañar antes de que el mío sonara, colgó sus piernas cortas a un costado de mi cama, saltó abajo y corrió a su vestidor.

—Supongo que perdí mi oportunidad de ducharme —dijo, al tiempo que se ponía una camiseta verde que decía CULVER CREEK BASKET-BALL y un *short*—. Bueno, siempre habrá un mañana. Y no hace frío. Probablemente estemos a 25 grados.

Agradecido de haber dormido totalmente vestido, sólo me puse zapatos y el Coronel y yo trotamos a los salones de clase. Me senté veinte segundos antes de que empezara la clase. A la mitad, *madame* O'Malley se dio la vuelta para escribir algo en francés en el pizarrón y Alaska me pasó una nota.

"¡Qué bonita cara de almohada! ¿Estudiamos en McDonald's a la hora de la comida?"

Faltaban solamente dos días para nuestro primer examen significativo de Precálculo, así que Alaska pescó a los seis chicos de Precálculo que no consideraba Guerreros Semaneros y nos metió en su diminuto coche azul de dos puertas. Por una alegre coincidencia, una bonita chica de décimo grado llamada Lara terminó sentada en mi regazo. Lara había nacido en Rusia o en algún lugar similar y hablaba con un poco de acento extranjero. Como estábamos apenas a cuatro capas de ropa de hacerlo, tomé la oportunidad y me presenté.

—Sé quién eres —sonrió—. El amiigo de Alaska de Flowrriida.

—Así es. Prepárate para muchas preguntas bobas, porque yo soy un desastre en Precálculo —le dije.

Empezó a responder; pero luego, cuando Alaska salió a toda velocidad del estacionamiento, fue arrojada hacia mí.

—Chicos, conozcan a Cítrico Azul. Así se llama porque es un limón —dijo Alaska—. Cítrico Azul, conoce a los chicos. Si los encuentran, quizá quieran ponerse los cinturones de seguridad. Gordo, a lo mejor tú quieres ser el cinturón de seguridad de Lara —lo que al coche le faltaba de velocidad, Alaska lo compensaba negándose a mover el pie del acelerador, sin importar las consecuencias. Incluso antes de salir de los terrenos de la escuela, Lara era lanzada sin piedad cada vez que Alaska daba vuelta a toda prisa, así que seguí el consejo de Alaska y envolví con los brazos la cintura de Lara.

—Gracias —dijo, casi de manera imperceptible.

Después de cuatro kilómetros y medio muy veloces, un tanto atolondrados camino a McDonald's, pedimos siete órdenes de papas fritas para compartir y luego salimos a sentarnos en el pasto. Sentados en círculo alrededor de las papas fritas, Alaska dio la clase mientras fumaba y comía.

Como buena maestra, toleraba poca disensión. Fumó, habló y comió durante una hora sin parar, mientras yo tomaba notas en mi cuaderno conforme las aguas lodosas de las tangentes y los cosenos empezaban a aclararse. Pero no todos eran tan afortunados.

A medida que Alaska pasaba como rayo por algo obvio acerca de las ecuaciones lineales, el jugador mariguano Hank Walsten dijo:

—Espera, espera, no entiendo.

—Eso es porque tienes ocho células en tu cerebro.

—Hay estudios que muestran que la mariguana es mejor para tu salud que esos cigarros —se defendió Hank.

Alaska tragó un gran bocado de papas fritas, le dio una fumada a su cigarro y sopló el humo hacia Hank, que estaba al otro lado del círculo.

—Puede que muera joven —dijo—, pero al menos moriré inteligente. Ahora, de vuelta a las tangentes.

CIEN DÍAS ANTES

—Digo, no quiero preguntar lo obvio pero ¿por qué el nombre de Alaska? —pregunté.

Acababa de recibir mi examen corregido de Precálculo y mi admiración por Alaska no tenía límites, porque estudiar con ella me había conducido a una calificación de 9. Estábamos los dos solos, viendo MTV en la sala de TV un sábado nublado y monótono. Amueblada con sofás abandonados por antiguas generaciones de alumnos de Culver Creek, la sala de TV tenía un aire mohoso con olor a polvo y quizá por esa razón permanecía siempre vacía. Alaska tomó un trago de refresco Mountain Dew y me tomó la mano con la suya.

—Siempre surge tarde o temprano. Está bien, mi mamá tenía un aire de *hippie* cuando yo era niña. Era del tipo que usaba suéteres gigantes que tejía ella misma, se dopaba, etcétera, y mi papá era en realidad del tipo republicano. Así que cuando yo nací, mi mamá quería ponerme Harmony Springs Young y él, Mary Frances Young —conforme hablaba, meneaba la cabeza al ritmo de la música de MTV, aun cuando la canción era de esa especie de baladas prefabricadas que ella manifestaba detestar.

—Entonces, en vez de ponerme Harmony o Mary, estuvieron de acuerdo en dejarme decidir. Así que, cuando era chiquita, me llamaban Mary. Digo, me decían "corazoncito" o lo que fuera; pero en los documentos escolares y cosas semejantes escribían *Mary Young*. Luego, cuando cumplí siete años, mi regalo fue elegir mi nombre. Qué padre, ¿no? Me pasé todo el día mirando el globo terráqueo de mi papá en busca de un nombre que de verdad me gustara. Mi primera elección fue Chad, como el país de África. Pero como mi papá dijo que ése era nombre de niño, elegí Alaska.

Ojalá mis papás me hubieran dejado elegir mi nombre. Pero se decidieron por el único nombre que los primogénitos masculinos Halter han tenido durante un siglo.

—Pero ¿por qué Alaska? —insistí.

Sonrió con el lado derecho de la boca.

—Bueno, más tarde supe lo que significaba. Proviene de una palabra aleuta, *Alyeska*. Significa "aquello contra lo cual rompe el mar" y eso me encanta. Pero en aquel momento, sólo vi Alaska allá arriba. Era muy grande, como yo quería ser. Y estaba tan condenadamente lejos de Vine Station, Alabama, igual que quería estar yo.

—Y ahora ya creciste y estás bastante lejos de casa —sonreí—. ¡Felicidades!

—Dejó de menear la cabeza y me soltó la (por desgracia sudorosa) mano.

—Salirse no es tan fácil —dijo, seria, mirándome como si yo supiera cómo salir y no le quisiera decir. Luego pareció cambiar de conversación a mitad de la frase—. Por ejemplo, después de la universidad, ¿sabes qué quiero hacer? Enseñar a niños discapacitados. Soy buena maestra, ¿no? ¡Carajo!, si a ti te puedo enseñar Precálculo, puedo enseñar a cualquiera. Quizá a niños autistas.

Hablaba pausadamente, pensando lo que decía, como si me dijera un secreto.

Me incliné hacia ella, de pronto inundado por la sensación de que debíamos besarnos, de que debíamos besarnos en ese mismo momento en el polvoriento sofá anaranjado con quemaduras de cigarro y décadas de polvo acumulado. Y lo habría hecho: me habría seguido inclinando hacia ella hasta que me fuera necesario mover la cabeza para no golpear su nariz de pendiente de esquí, y habría sentido el impacto de sus labios tan suaves. Lo habría hecho. Pero de pronto ella salió al paso.

—No —dijo, y no sabía si estaba leyendo mi mente obsesionada por los besos, o si se estaba respondiendo en voz alta. Se volvió hacia el otro lado y bajito, como si hablara con ella misma, siguió—: ¡Dios mío!, no voy a ser una de esas personas que se sientan y hablan de lo que van a hacer. Simplemente voy a hacerlas. Imaginar el futuro es un tipo de nostalgia.

—¿Qué? —pregunté.

—Te pasas toda la vida atorado en el laberinto, pensando en cómo vas a escapar de ahí un día y qué fabuloso será; imaginar ese futuro te mantiene con vida, pero nunca te escapas. Sólo utilizas el futuro para escapar del presente.

Supongo que eso tenía sentido. Yo había imaginado que la vida en el Creek sería un poco más emocionante de lo que era —en realidad, había habido más tarea que aventuras—, pero de no haberlo imaginado, nunca hubiera llegado al Creek.

Ella volvió su atención hacia la TV, ahora al comercial de un coche, e hizo un chiste sobre cómo Cítrico Azul necesitaba su propio comercial para coches. Imitando la voz profunda de los anunciadores comerciales, dijo:

—Es pequeño, es lento y es latoso, pero se mueve... a veces. Cítrico Azul: consulte a su distribuidor local de autos usados.

Pero yo quería hablar más acerca de ella, de Vine Station y el futuro.

—A veces no te entiendo.

Ni siquiera me miró. Solamente sonrió hacia el televisor:

—Nunca me entenderás. De eso se trata.

NOVENTA Y NUEVE DÍAS ANTES

Pasé la mayor parte del día siguiente acostado en la cama, inmerso en el miserable y poco interesante mundo de ficción de Ethan Frome, mientras el Coronel descifraba, sentado en su escritorio, los secretos de las ecuaciones diferenciales o algo así. Aun cuando intentábamos racionar nuestras pausas para fumar en el vapor de la regadera, nos quedamos sin cigarros antes del anochecer, lo que requirió ir a la habitación de Alaska. Ella estaba recostada en el suelo, con un libro sobre la cabeza.

—Vamos a fumar —dijo el Coronel.

—Te quedaste sin cigarros, ¿no? —adivinó ella, sin levantar la cabeza.

—Bueno. Sí.

—¿Tienes cinco dólares? —preguntó Alaska.

—No.

—¿Gordo? —preguntó de nuevo.

—Bueno, está bien —saqué un billete de cinco dólares de mi bolsillo y Alaska me entregó un paquete de veinte Marlboro Lights. Yo sabía que fumaría quizá cinco, pero mientras subsidiara al Coronel no podría atacarme en realidad por ser sólo otro niño rico, un Guerrero Semanero cuyo problema era no vivir en Birmingham.

Nos llevamos a Takumi y caminamos al lago, escondiéndonos detrás de algunos árboles y riéndonos. El Coronel exhalaba anillos de humo que Takumi llamaba "pretenciosos", mientras Alaska los seguía con los dedos, picándolos como un niño que tratara de reventar burbujas.

Luego oímos una rama quebrarse. Podría haber sido un venado, pero el Coronel se echó a correr de todos modos. Una voz directa detrás de nosotros ordenó:

—No corras, Chipper —y el Coronel se detuvo, dio la vuelta y volvió con docilidad.

El Águila caminó hacia nosotros con lentitud, los labios apretados, hastiado. Traía una camisa blanca y una corbata negra, como de costumbre. A todos nos echó la "mirada de la perdición".

—Todos ustedes huelen como si hubieran estado en un campo de tabaco de Carolina del Norte durante un incendio —dijo.

Permanecimos de pie, en silencio. Yo me sentí bastante terrible, como si acabaran de atraparme huyendo de la escena de un crimen. ¿Llamaría a mis padres?

—Los veré en el Juzgado mañana a las cinco —anunció, y luego se alejó. Alaska se agachó, levantó el cigarro que había tirado y empezó a fumar de nuevo. El Águila dio media vuelta a toda velocidad; su sexto sentido detectaba Insubordinación a Figuras de Autoridad. Alaska soltó el cigarro y lo pisó. El Águila meneó la cabeza y aun cuando debí estar del todo loco, juro que sonrió.

—Me ama —me dijo Alaska cuando caminábamos de regreso al círculo de dormitorios—. Los ama a todos ustedes, también. Sólo que ama más a la escuela. Piensa que atraparnos y castigarnos es bueno para la escuela y bueno para nosotros. Es la lucha eterna, Gordo. Los buenos frente a los que se portan mal.

—Estás muy filosófica para ser una chica a la que acaban de atrapar —le dije.

—A veces pierdes una batalla. Pero las travesuras siempre ganan la guerra.

NOVENTA Y OCHO DÍAS ANTES

Una de las cosas singulares que tenía Culver Creek era el Jurado. Cada semestre, el cuerpo docente elegía a doce estudiantes, tres de cada grado, para que fungieran como parte del Jurado. El Jurado impartía castigos por faltas que no ameritaban la expulsión de los alumnos. Trataba todo tipo de casos, desde estar fuera de la escuela a deshoras hasta fumar. Por lo general, el castigo era por fumar o estar en la habitación de una chica después de las siete. Así que ibas con el Jurado, exponías tu caso y ellos te castigaban. El Águila era el juez y tenía el derecho de anular el veredicto del Jurado (como en el sistema legal norteamericano real), pero casi nunca lo hacía.

Llegué al salón 4 justo después de mi última clase, con cuarenta minutos de antelación, sólo para estar seguro. Me senté en el pasillo con la espalda contra la pared y leí el libro de texto de Historia de Estados Unidos (era una lectura para mejorar mis hábitos de estudio, debo confesar) hasta que apareció Alaska y se sentó junto a mí. Se mordisqueaba el labio inferior y le pregunté si estaba nerviosa.

—Pues, sí. Escucha, sólo permanece sentado en silencio y no hables —me recomendó—. Tú no necesitas estar nervioso. Pero yo... Ésta es la séptima vez que me pescan fumando. No quiero... lo que sea. No quiero enojar a mi papá.

—¿Tu mamá fuma o algo así? —pregunté.

—Ya no —dijo Alaska—. Está bien. Tú vas a estar bien.

No empecé a preocuparme sino hasta que fueron las 16:50 h y el Coronel y Takumi no aparecían. Los miembros del Jurado entraron uno por uno. Caminaban frente a nosotros sin hacer contacto visual, lo que hacía que me sintiera peor. Para las 16:56 h ya había contado a los doce, más el Águila.

A las 16:58 h, el Coronel y Takumi dieron vuelta en la esquina hacia los salones de clase.

Nunca había visto algo similar. Takumi traía una camisa blanca almidonada y una corbata roja con un estampado negro de formas curvas; el Coronel traía su camisa rosa de botones, arrugada, y la corbata de flamencos. Caminaban a la par, con las cabezas en alto y los hombros hacia atrás, como héroes de alguna película de acción.

—El Coronel viene con su andar tipo Napoleón —oí a Alaska suspirar.

—Todo está bien —me dijo el Coronel—. Nada más no digas nada.

Entramos, dos con corbatas y dos con camisetas deshilachadas, y el Águila golpeó un mazo de a de veras contra el podio que estaba frente a él. El Jurado se sentó en una línea detrás de una mesa rectangular. Al frente del salón, junto al pizarrón, había cuatro sillas. Nos sentamos y el Coronel explicó exactamente lo que había sucedido.

—Alaska y yo estábamos fumando junto al lago. Por lo general nos salimos de los terrenos de la universidad, pero se nos olvidó. Lo sentimos. No volverá a suceder.

Yo no sabía de qué se trataba. Pero sí sabía lo que tenía qué hacer: sentarme quieto y guardar silencio. Uno de los chicos miró a Takumi y preguntó:

—¿Y tú y Halter?

—Les hacíamos compañía.

El chico se volvió al Águila y preguntó:

—¿Usted vio a alguien fumar?

—Vi únicamente a Alaska, pero Chip se echó a correr, lo que me pareció cobarde, al igual que la rutina de "ay, bueno" de Miles y Takumi —dijo el Águila, echándome la "mirada de la perdición". No quería parecer culpable, pero no podía mantener su mirada, así que tan sólo me miré las manos.

—Es la verdad, señor —el Coronel apretó los dientes, como si le doliera mentir.

El Águila preguntó si alguno de nosotros quería decir algo y si había alguna otra pregunta. Luego nos envió afuera.

—¿Qué rayos fue eso? —le pregunté a Takumi cuando estuvimos afuera.

—Tú siéntate quieto, Gordo.

¿Para qué dejar que Alaska confesara cuando ya había estado en problemas tantas veces? ¿Por qué el Coronel, que de verdad no podía meterse en problemas serios? ¿Por qué yo no? A mí nunca me habían atrapado ni castigado por nada. Yo tenía menos que perder que todos ellos.

Después de unos minutos, el Águila salió y nos hizo el ademán de que volviéramos a entrar.

—Alaska y Chip —dijo un miembro del Jurado—, a cada uno le asignamos diez horas de trabajo lavando platos en la cafetería, y los dos están oficialmente a un problema de distancia de una llamada a sus casas. Takumi y Miles, los reglamentos no dicen nada acerca de ver a alguien más fumar, pero el Jurado recordará su historia si vuelven a romper las reglas. ¿De acuerdo?

—De acuerdo —dijo Alaska rápido, con evidente alivio.

Al salir, el Águila me hizo girar.

—No abuse de sus privilegios en esta escuela, jovencito, o se arrepentirá —asentí con la cabeza.

OCHENTA Y NUEVE DÍAS ANTES

—Te encontramos una novia —me dijo Alaska. Todavía nadie me había explicado lo que había sucedido la semana anterior con el Juzgado. No parecía haber afectado a Alaska, quien estaba 1) en nuestra habitación después del anochecer con la puerta cerrada y 2) fumando un cigarro sentada en el sofá de casi sólo hule espuma. Había puesto una toalla enrollada bajo la puerta e insistía en que con eso bastaba, pero yo estaba preocupado por el cigarro y la "novia".

—Todo lo que tengo que hacer ahora —dijo— es convencerte de que te guste y convencerla a ella de que le gustas.

—Hazañas monumentales —señaló el Coronel. Se acostó en la litera de arriba, leyendo *Moby Dick* para su clase de inglés.

—¿Cómo puedes leer y hablar al mismo tiempo? —pregunté.

—Bueno, normalmente no puedo, pero ni el libro ni la conversación implican un desafío intelectual particular.

—A mí me gusta ese libro —dijo Alaska.

—Sí —el Coronel sonrió y se inclinó para mirarla desde su litera superior—. A ti te gustaría. Gran ballena blanca es una metáfora de todo. Tú vives para las metáforas pretenciosas.

Alaska permaneció indiferente:

—Así que, Gordo, ¿qué te parece el antiguo bloque soviético?

—Mmm. ¿Si estoy a favor?

Arrojó las cenizas de su cigarro en mi vaso de lápices. Casi protesté, pero para qué molestarse.

—Oye, esa chica que está en nuestra clase de Precálculo —dijo Alaska—, que dice *eestee* en vez de *este* con voz suave. ¿Conoces a esa chica?

—Sí, Lara. Se sentó en mis piernas camino a McDonald's.

—Sí, ya sé. Y le caíste bien. Tú pensaste que ella iba hablando tranquila sobre Precálculo, cuando sin lugar a dudas hablaba de tener sexo ardiente contigo. Por eso me necesitas.

—Tiene muy buenas tetas —dijo el Coronel, sin alzar la vista de la ballena.

—¡No hagan objetos de los cuerpos de las mujeres! —gritó Alaska.

—Lo siento. Quise decir: tetas paradas —el Coronel alzó la vista.

—¡Eso no mejora las cosas!

—Claro que sí. "Buenas" es un juicio sobre el cuerpo de una mujer. "Paradas" es simplemente una observación. Y están paradas. Digo, míralas.

—Eres incorregible —dijo ella—. Pues mira que eres lindo, Gordo.

—¡Qué bueno!

—No significa nada. El problema contigo es que si hablas con ella, "eh, mm, eh", irán directo al desastre.

—No seas tan duro con él —interrumpió el Coronel, como si fuera mi mamá—. Dios, ya entiendo cómo es la anatomía de una ballena. ¿Podemos continuar, Herman?

—Así que Jake estará en Birmingham este fin de semana y vamos a salir en una cita triple. Bueno, triple y media, porque Takumi también irá. Habrá poca presión. No podrás meter la pata, porque estaré ahí todo el tiempo.

—Está bien.

—¿Quién va conmigo? —preguntó el Coronel.

—Tu novia va contigo.

—Bueno —dijo, y luego agregó, con cara de palo—, pero no nos llevamos muy bien.

—¿Entonces el viernes? ¿Tienen planes para el viernes? —me reí, porque el Coronel y yo no teníamos ningún plan para este viernes, ni para ningún otro viernes del resto de nuestras aburridas vidas.

—Eso pensé —sonrió—. Ahora nos toca lavar los platos en la cafetería, Chipper. ¡Dios mío!, los sacrificios que tengo que hacer.

OCHENTA Y SIETE DÍAS ANTES

Nuestra cita triple y media empezó bastante bien. Estaba en la habitación de Alaska —a fin de que pescara novia, había estado de acuerdo en plancharme una camisa verde de botones— cuando apareció Jake. Tenía el pelo rubio hasta los hombros, vello oscuro en las mejillas y el tipo de complexión que se recompensa con una carrera como modelo de catálogo. Jake era tan guapo como esperaría uno que lo fuera el novio de Alaska. Ella le brincó encima y lo rodeó con sus piernas ("Dios me libre de que alguien me haga eso alguna vez. Me tiraría", pensé). Había oído a Alaska hablar sobre los besos, pero nunca la había visto besar a nadie hasta entonces: él la tomó por la cintura y se inclinó hacia el frente; ella separó sus labios prominentes, ladeó la cabeza un poco y abarcó la boca de él con tal pasión que yo sentí que debía mirar hacia otro lado, pero no pude. Un buen rato después, se desenredó de Jake y me presentó.

—Mira, éste es el Gordo —dijo. Jake y yo nos saludamos de mano.

—He oído hablar mucho sobre ti —hablaba con un ligero acento sureño, del poco que había oído fuera de McDonald's—. Espero que tu cita funcione esta noche, porque no querría que me robaras a Alaska delante de mí.

—¡Dios mío!, eres tan adorable —dijo Alaska, antes de que yo pudiera responder—. Lo siento mucho —rio—. Es sólo que parece que no puedo dejar de besar a mi novio.

Me puse mi camisa verde recién almidonada y los tres nos reunimos con el Coronel, Sara, Lara y Takumi.

Luego nos dirigimos al gimnasio a ver a los Nadas de Culver Creek contra la Academia Harsden, una escuela diurna privada de Mountain Brook, el suburbio más rico de Birmingham.

El odio del Coronel por Harsden ardía con el fuego abrasador de mil soles.

—Lo único que detesto más que a los ricos —me dijo, camino al gimnasio— son los idiotas. Y todos los chicos de Harsden son ricos y demasiado idiotas para entrar al Creek.

Como se suponía que era una cita, pensé sentarme junto a Lara durante el juego, pero cuando intenté pasar por donde ya estaba sentada Alaska, en camino hacia donde estaba Lara, Alaska me miró y dio palmaditas en el lugar vacío que estaba junto a ella.

—¿No puedo sentarme junto a mi cita? —pregunté.

—Gordo, uno de los dos ha sido una chica toda su vida. El otro nunca ha pasado de segunda base. Si fuera tú, me sentaría, me vería mono y sería el agradable chico introvertido que sueles ser.

—Está bien, lo que tú digas.

—Sí, ésa suele ser mi estrategia para complacer a Alaska —afirmó Jake.

—¡Aayy! ¡Qué lindo! Gordo, ¿te dije que Jake está grabando un disco con su banda? Son fantásticos. Son como Radiohead con los Flaming Lips. ¿Te dije que yo les inventé el nombre, Hickman Territory? —luego, a sabiendas de que estaba siendo boba—: ¿Te dije que Jake está bien dotado y es un amante hermoso y sensual?

—Diosito santo —sonrió Jake—, no lo digas frente a los niños.

Yo quería odiar a Jake, por supuesto, pero al verlos sonreír y juguetear uno con el otro no pude detestarlo. Quería ser él, sin lugar a dudas, pero intenté recordar que se suponía que estaba en una cita con alguien más.

El jugador estrella de la Academia Harsden era un Goliat de casi dos metros de alto llamado Travis Eastman al que todos, sospecho que incluso su madre, llamaban la Bestia. La primera vez que la Bestia llegó a la línea de tiro libre, el Coronel no podía evitar blasfemar mientras decía en tono burlón:

—Le debes todo a tu papá, estúpido bastardo inculto.

La Bestia se dio la vuelta y lo miró con ira, y al Coronel casi lo expulsan después del primer tiro libre, pero le sonrió al réferi y dijo: "¡Lo siento!".

—Quiero quedarme aquí para ver una buena parte de este juego —me dijo.

Al inicio del segundo tiempo, el Creek iba perdiendo por un margen sorprendentemente corto de veinticuatro puntos y la Bestia en la línea de jugadas estaba fuera de la cancha. El Coronel miró a Takumi y dijo: "es el momento". Takumi y el Coronel se pusieron de pie en el momento que la multitud siseó *"Shhh..."*

—No sé si sea el mejor momento para decírtelo —le gritó el Coronel a la Bestia—, pero Takumi, que está aquí conmigo, tuvo que ver con tu novia justo antes del juego.

Eso hizo reír a todos, excepto a la Bestia, quien con la pelota caminó lentamente desde la línea de tiro libre hacia nosotros.

—Creo que lo mejor es correr ahora —dijo Takumi.

—Todavía no nos expulsan —respondió el Coronel.

—Después —dijo Takumi.

No sé si fue por la ansiedad general de estar en una cita (aunque mi cita estuviera sentada a cinco personas de mí) o la ansiedad de tener la mirada fija de la Bestia en mi dirección, pero el caso es que empecé a correr tras Takumi.

Pensé que estábamos a salvo al dar la vuelta en la esquina de las gradas, pero luego, por el rabillo del ojo, vi un objeto anaranjado cilíndrico que se hacía cada vez más grande, como un sol que se acercaba a toda velocidad.

Pensé: "Creo que me va a golpear".

Pensé: "Debería agacharme".

Pero entre el momento en que uno piensa una cosa y la hace, la pelota me golpeó directamente en un lado de la cara. Caí, y la parte posterior de mi cabeza se golpeó contra el suelo del gimnasio. Me puse de pie de inmediato, como si no me hubiera sucedido nada, y salí.

El orgullo me había levantado del suelo, pero en cuanto estuve afuera, me senté.

—Tengo una conmoción —anuncié mi autodiagnóstico.

—Estás bien —me aseguró Takumi cuando regresó trotando hacia mí y agregó—: Debemos salir de aquí antes de que nos maten.

—Lo siento —dije—, pero no puedo levantarme. Acabo de sufrir una leve conmoción.

Lara salió corriendo y se sentó junto a mí.

—¿Estás bien?

—Tengo una conmoción —dije.

—¿Sabes qué te ocurrió? —Takumi se sentó junto a mí y me miró a los ojos.

—La Bestia me pescó.

—¿Sabes dónde estás?

—En una cita triple y media.

—Estás bien —dijo Takumi—. Vámonos.

Entonces, me incliné hacia delante y vomité en los pantalones de Lara. No puedo decir por qué no me incliné hacia atrás o a un lado. Me incliné hacia el frente, apunté con la boca hacia sus pantalones de mezclilla (uno de esos pantalones bonitos, buenos para lucir el trasero, el tipo de pantalones que se pone una chica cuando quiere verse bien pero sin que se note que está tratando de verse bien) y le vomité encima. Sobre todo mantequilla de cacahuate, pero evidentemente, también un elote.

—¡Oh! —exclamó, sorprendida y un poco horrorizada.

—¡Oh, Dios! —me disculpé—, lo siento tanto.

—Creo que puedes tener una conmoción —dijo Takumi, como si la idea nunca hubiera surgido.

—Sufro de náuseas y mareos asociados típicamente con una conmoción leve —recité. Mientras Takumi iba a buscar al Águila y Lara a cambiarse de pantalones, yo me acosté en la banqueta de concreto. El Águila regresó con la enfermera de la escuela, quien me diagnosticó con sorpresa (¡qué sorpresa!) una conmoción. Luego Takumi me condujo al hospital con Lara, quien iba sentada viendo hacia mí. Según parece, me acosté en la parte de atrás y repetía con lentitud las palabras: "Los. Síntomas. Generalmente. Asociados. Con. La. Conmoción".

Así que pasé mi cita en el hospital con Lara y Takumi. El doctor me dijo que me fuera a casa y durmiera mucho, pero que alguien me despertara cada cuatro horas más o menos.

Vagamente recuerdo a Lara de pie en la puerta, la habitación oscura, afuera oscuro, todo leve y cómodo pero un tanto giratorio, el mundo pulsando como un ritmo pesado de batería. Vagamente recuerdo la sonrisa de Lara desde la puerta, la relumbrante ambigüedad de la sonrisa de una chica, que parece prometer una respuesta a la pregunta, pero que nunca la da. La pregunta, aquella que todos hemos estado preguntando desde que las niñas dejaron de ser asquerosas, la pregunta que es demasiado simple para no ser complicada: ¿le gusto o no le gusto?

Luego, me quedé profundamente dormido y dormí hasta las tres de la mañana, cuando el Coronel sin pena me despertó para decirme:

—Terminó conmigo.

—Tengo una conmoción —respondí.

—Ya lo supe. Por eso te despierto. ¿Un juego de video?

—Está bien, pero déjalo sin sonido. Me duele la cabeza.

—Sí. Supe que te vomitaste encima de Lara. Qué agradable.

—¿Terminó contigo?

—Sí. Sara le dijo a Jake que yo tenía una erección por Alaska. Esas palabras. En ese orden. Y yo dije algo así como: "Bueno, en este momento no tengo ninguna erección por nada, pueden checar si quieren". Sara pensó que estaba yo muy locuaz, supongo, porque luego dijo que sabía que yo me había enredado con Alaska. Lo cual, para que lo sepas, es ridículo. Yo. No. Es un engaño.

Al fin, el juego terminó de cargarse para iniciar; yo oía a medias que conducía un coche adaptado para carreras en círculos en una pista silenciosa de Talladega. Los círculos me daban náuseas, pero yo seguía jugando.

—Entonces Alaska perdió la cabeza —siguió contando e imitó la voz de Alaska, haciéndola más aguda e inductora de dolor de cabeza de lo que en realidad es—: "¡Ninguna mujer debería mentir sobre otra mujer! ¡Estás violando la alianza sagrada entre las mujeres! ¡¿De qué manera apuñalar a otra mujer por la espalda ayudará a las mujeres a elevarse sobre la opresión patriarcal?!" Y así sucesivamente. Luego Jake entró en defensa de Alaska, diciendo que ella nunca lo engañaría porque lo quería y entonces yo dije algo como: "No se preocupen por Sara. A ella le gusta fanfarronear". Entonces Sara me preguntó por qué nunca la defendía a ella y en algún momento la llamé "perra loca" y eso no le sentó muy bien. La mesera nos pidió que nos fuéramos y parados en el estacionamiento ella gritó: "¡Ya tuve suficiente!" Yo sólo la miré y ella dijo: "Nuestra relación terminó".

El Coronel dejó de hablar.

—"¿Nuestra relación terminó?" —repetí. Me sentí muy fuera de todo y pensé que lo mejor era repetir la última frase de cualquier cosa que dijera el Coronel para que siguiera hablando.

—Pues sí. Eso es. ¿Sabes qué es lo que me cuesta trabajo, Gordo? De verdad la quiero. Digo, no teníamos esperanza. Era una mala combinación. Pero de cualquier manera. Digo, yo dije que la quería. Con ella perdí mi virginidad.

—¿Perdiste tu virginidad con ella?

—Sí. Sí. ¿Nunca te lo había dicho? Es la única chica con la que he dormido. No lo sé. Aun cuando nos peleábamos como noventa y cuatro por ciento del tiempo, de verdad estoy triste.

—¿De verdad estás triste?

—Más triste de lo que pensé que estaría. De cualquier modo, digo, sabía que era inevitable. No tuvimos un solo momento placentero en todo el año. Desde que llegué aquí, quiero decir, nos la pasamos uno encima del otro sin parar. Debí haber sido más amable con ella. No lo sé. Es triste.

—¿Es triste? —repetí.

—Digo, es tonto extrañar a alguien con quien ni siquiera te llevabas bien. Pero, no lo sé. Era bonito, ¿sabes?, tener a alguien con quien siempre te pudieras pelear.

—¿Pelear? —luego añadí, confundido, apenas lo suficientemente despierto para manejar—. ¡Qué bueno!

—Sí. De hecho, no sé qué haré ahora. Digo, era bonito tenerla. Soy un tipo loco, Gordo. ¿Qué hago ahora?

—Puedes pelearte conmigo —propuse.

Bajé mi controlador, me recosté en el sofá de hule espuma y me quedé dormido. Cuando estaba cayendo, oí al Coronel decir:

—Contigo no puedo estar enojado, inofensivo bastardo.

OCHENTA Y CUATRO DÍAS ANTES

Tres días después, empezó a llover. Todavía me dolía la cabeza, y el chipote de buen tamaño sobre mi sien izquierda parecía, como dijo el Coronel, un mapa topográfico en miniatura de Macedonia, lugar previamente desconocido para mí; jamás se me hubiera ocurrido que fuera un país. Y conforme el Coronel y yo caminábamos sobre el pasto marchito, medio muerto, ese lunes dije:

—Supongo que no caería mal un poco de lluvia.

El Coronel miró las nubes bajas que venían hacia nosotros rápidas y amenazadoras. Luego concluyó:

—Aunque nos caiga bien o mal, nos va a tocar un chubasco.

Y vaya que nos tocó. A los veinte minutos de que había empezado la clase de Francés, mientras *madame* O'Malley conjugaba el verbo *creer* en subjuntivo. *Que je croie. Que tu croies. Qu'il ou qu'elle croie.* Lo repetía una y otra vez, no tanto como verbo sino como si fuera un mantra budista. *Que je croie. Que tu croies. Qu'il ou qu'elle croie.* Qué chistoso repetir una y otra vez: Yo creería, tú creerías, él o ella creería. "¿Creería qué?", pensé y en ese preciso instante llegó la lluvia.

Llegó toda a la vez en un torrente furioso, como si Dios estuviera enojado y quisiera inundarnos por completo. Día tras día, noche tras noche, llovía. Llovía tanto que no se podía ver de un lado al otro del círculo de dormitorios; el lago se desbordó y chocaba contra el columpio tipo Adirondack, tragándose la mitad de la playa falsa. Para el tercer día, abandoné mi paraguas y caminé por el mundo en un estado de humedad perpetua. Todo en la cafetería sabía como el ácido del agua de lluvia, todo apestaba a moho y las regaderas se volvieron inadecuadas en el colmo del absurdo porque todo el maldito universo tenía mejor presión hidráulica que ellas.

La lluvia nos volvió ermitaños. El Coronel se pasaba cada momento fuera de clase sentado en el sofá, leyendo el almanaque y adiestrándose en juegos de video; yo no estaba seguro de si quería platicar o si sólo quería sentarse en el hule espuma blanco y beber su "ambrosía" en paz.

Después del desastre que resultó nuestra "cita", yo sentía que lo mejor era no hablarle a Lara en ninguna circunstancia, no fuera yo a sufrir una conmoción y/o un ataque de vómito, aun cuando al día siguiente, en Precálculo, me había dicho que "no habíiia pasado mucho".

Veía a Alaska sólo en los salones y nunca podía hablar con ella, porque llegaba tarde a todas las clases y se iba en el momento que sonaba la campana, antes incluso de que pudiera tapar mi pluma y cerrar mi cuaderno. En la quinta noche de lluvia, entré a la cafetería preparado para regresar a mi habitación y cenar un *bufrito* recalentado si Alaska y/o Takumi no estaban cenando (sabía muy bien que el Coronel estaba en la habitación 43, cenando leche con vodka). Me quedé porque vi a Alaska sentada sola, de espalda a una ventana sucia por la lluvia. Tomé un plato rebosante de angú frito y me senté junto a ella.

—¡Dios mío!, parece que nunca va a terminar —comenté, refiriéndome a la lluvia.

—Sin duda —contestó ella. El cabello mojado le colgaba y cubría gran parte de su cara. Yo comí un poco. Ella comió un poco.

—¿Cómo has estado? —le pregunté por fin.

—No tengo ganas de contestar preguntas que empiecen con *cómo, cuándo, dónde, por qué* o *qué*.

—¿Qué te pasa?

—Ésa es una pregunta de *qué*. En este momento no estoy respondiendo *qués*. Bueno. Ya me tengo que ir —infló los labios y exhaló con lentitud, como exhala humo el Coronel.

—¿Qué...? —me detuve y reorganicé la frase—. ¿Hice algo malo?

Recogió su bandeja y se levantó antes de contestar.

—Claro que no, encanto.

Su "encanto" sonaba condescendiente, no romántico, como si un niño que pasa por su primer tormento bíblico no pudiera de ninguna manera entender sus problemas, cualesquiera que éstos fueran. Requerí un gran esfuerzo para no mirarla con desesperación, aunque ni se habría dado cuenta cuando salió de la cafetería, con el pelo que le escurría por la cara.

SETENTA Y SEIS DÍAS ANTES

—Me siento mejor —me dijo el Coronel al noveno día de la tormenta cuando se sentó junto a mí en la clase de Religión—. Tuve una epifanía. ¿Recuerdas esa noche cuando entró en la habitación y se portó como una total y completa estúpida?

—Sí. La ópera. La corbata de flamencos.

—Ésa.

—¿Qué pasó con esa noche?

El Coronel sacó una libreta de espiral, cuya mitad superior estaba empapada, y poco a poco separó las páginas hasta que encontró lo que buscaba.

—Ésa fue la epifanía. Ella resultó ser una total y completa estúpida.

Hyde entró cojeando, apoyando su peso en un bastón negro. Al acercarse a su silla, observó con sequedad.

—Mi pierna mala me está advirtiendo que a lo mejor llueve. Así que prepárense —se colocó frente a su silla, se inclinó hacia atrás con cuidado, la tomó con ambas manos y se desplomó en ella con una serie de respiraciones rápidas, poco profundas, como una mujer en trabajo de parto.

—Aun cuando no tendrán que entregarlo sino hasta dentro de poco más de dos meses, hoy recibirán el tema para su ensayo de este semestre. Ahora, estoy seguro de que todos ustedes han leído el programa de estudios para esta clase con tanta frecuencia y seriedad que ya se lo han aprendido de memoria —sonrió burlón—. Pero les recuerdo una cosa: este ensayo cuenta el cincuenta por ciento de su calificación. Los aliento a que lo tomen en serio. Ahora, acerca de este tipo, Jesús.

Hyde habló sobre el Evangelio de San Marcos, que yo apenas había leído el día anterior aun cuando era cristiano. Supongo. Había ido a la iglesia como, eh, cuatro veces. Con más frecuencia que a una mezquita o a una sinagoga.

Nos dijo que en el siglo primero, más o menos en la época de Jesús, algunas monedas romanas tenían la imagen del Emperador Augusto y que bajo esa imagen estaban inscritas las palabras *Filius Dei*: "Hijo de Dios".

—Estamos hablando —explicó— de una época en que los dioses tenían hijos. No era raro ser un hijo de Dios. El milagro, cuando menos en esa época y en ese lugar, era que Jesús, un campesino judío, un don nadie en un imperio gobernado exclusivamente por álguienes, era el hijo de ese Dios: el Dios todopoderoso de Abraham y Moisés. El hijo de ese Dios no era un emperador, ni siquiera un rabino entrenado, sino un campesino y un judío. Un nadie como ustedes. Mientras el Buda era especial porque había abandonado su riqueza y su noble cuna para buscar la iluminación, Jesús era especial porque carecía de riqueza y de noble cuna, pero había heredado la nobleza suprema: Rey de Reyes. Terminó la clase. Pueden recoger una copia de su examen final a la salida. No se mojen.

Cuando me levanté para irme me di cuenta de que Alaska no había asistido a la clase. ¿Cómo podía perderse la única materia a la que valía la pena asistir? Tomé una copia del examen final para ella.

El examen final: "¿Cuál es la pregunta más importante que los seres humanos deberán responder? Elige tu pregunta con cuidado y luego analiza la manera como el islam, el budismo y el cristianismo intentan responderla".

—Espero que ese pobre bastardo sobreviva al resto del año escolar —dijo el Coronel mientras trotábamos a casa bajo la lluvia— porque de verdad estoy empezando a disfrutar esta clase. ¿Cuál es tu pregunta más importante?

Después de treinta segundos de correr, ya me había cansado.

—¿Qué... nos sucede... cuando morimos?

—Dios, Gordo, si no dejas de correr, sí que lo vas a averiguar —redujo la velocidad hasta volver el trote en caminata.

—Mi pregunta es ¿por qué a las personas buenas les tocan vidas de mierda? ¡Madre de Dios! ¿Es Alaska?

Corría hacia nosotros a toda velocidad, gritando, pero no podía oírla debido a la tremenda lluvia hasta que estuvo tan cerca de nosotros que vi volar por el aire la saliva que escupía.

—Esos cabrones inundaron mi habitación. ¡Arruinaron como cien de mis libros! ¡Pinches Guerreros Semaneros! ¡Hijos de su madre! Coronel, hicieron un agujero en el tubo del canal que corre por el techo y conectaron un tubo de plástico desde ahí hasta la ventana posterior de mi habitación. El lugar entero está empapado. Mi copia de *El general en su laberinto* está completamente arruinada.

—Buen trabajo —dijo el Coronel, como un artista que admira el trabajo de otro.

—¡Oye! —gritó Alaska.

—Perdón. No te preocupes, chica —dijo—. Dios castigará a los malvados. Y antes de que Él lo haga, lo haremos nosotros.

SESENTA Y SIETE DÍAS ANTES

Entonces así se sintió Noé. Te levantas una mañana y Dios ya te perdonó; caminas con los ojos entrecerrados todo el día porque ya se te olvidó cómo se siente la luz del sol, tibia y áspera, en tu piel, como un beso que te da tu papá en la mejilla, y el mundo entero está más brillante y limpio que nunca. Como si Alabama central hubiera sido metida en una lavadora durante dos semanas y limpiada con detergente de superfuerza extra con abrillantador de colores, ahora el pasto está más verde y los *bufritos* más crujientes.

Esa tarde permanecí cerca de los salones de clase, tirado de panza en el pasto recién seco y leyendo para la clase de Historia de los Estados Unidos sobre la Guerra Civil o, como se le conocía en esta área, la Guerra entre los Estados. Para mí, esa guerra generó mil buenas últimas palabras. Como las que contestó el general Albert Sidney Johnston, cuando le preguntaron si estaba herido: "Sí, y seriamente tengo miedo". O las de Robert E. Lee, quien, muchos años después de la guerra, anunció en un delirio de muerte: "¡Péguenle a la tienda de campaña!".

Me preguntaba por qué los generales confederados tendrían mejores últimas palabras que los de la Unión (la última palabra de Ulysses S. Grant fue: "Agua", lo que me parecía bastante tonto), cuando una sombra me bloqueó el sol. Tenía bastante tiempo sin ver una sombra y me sorprendió un poco. Miré arriba.

—Te traje algo de comer —dijo Takumi, soltando un pay cremoso de avena sobre mi libro.

—Muy nutritivo —sonreí.

—Ya tienes la avena. Ya tienes la comida. Ya tienes la crema. Muy buena posición en la pirámide nutricional.

—Sí, sin duda.

Luego ya no supe qué más decir. Takumi sabía mucho sobre *hip hop*; yo sabía mucho sobre últimas palabras y juegos de video. Al fin dije:

—No puedo creer que esos chicos hayan inundado la habitación de Alaska.

—Sí —contestó Takumi, sin mirarme—. Bueno, tendrían sus razones. Hay que entender que entre todos, incluso entre los Guerreros Semaneros, Alaska es famosa por sus travesuras. Digo, el año pasado metimos un Volkswagen dentro de la biblioteca. Así que si tienen una razón para adelantársele en una jugarreta, lo van a intentar. Y eso fue bastante ingenioso, desviar el agua del canal del techo a su habitación. Digo, no quiero admirarlo...

—Sí, esa travesura será difícil de superar —me reí. Desenvolví el pay de crema y le di una mordida. Mmm... cientos de deliciosas calorías por mordida.

—Ya se le ocurrirá algo —dijo Takumi—. Gordo, mmm, Gordo, necesitas un cigarro. Vamos a caminar.

Me sentí nervioso, como suele suceder cuando alguien dice mi nombre un par de veces con un *mmm* en medio. Pero me levanté, dejé atrás mis libros y me dirigí al Agujero para fumar. Sin embargo, en cuanto llegamos al borde del bosque, Takumi se alejó del camino de tierra.

—No creo que el Agujero sea muy seguro —dijo.

"¿No es seguro? Es el lugar más seguro en el universo conocido para fumar un cigarro", pensé. Pero simplemente lo seguí entre el grueso enramado, por un camino tortuoso rodeado de pinos y arbustos llenos de ramas amenazantes a la altura del pecho. Después de un rato, tan sólo se sentó. Rodeé mi encendedor con la mano para proteger la flama de la suave brisa y lo encendí.

—Alaska delató a Marya —dijo—. Así que el Águila puede saber también sobre el Agujero para fumar. Nunca lo he visto por ahí, pero quién sabe qué le haya dicho.

—Espera, ¿cómo sabes? —pregunté, dudoso.

—Bueno, por un lado, lo deduje. Por el otro, Alaska lo admitió. Me dijo cuando menos parte de la verdad: que justo al final del año escolar, trató de salirse de los terrenos de la escuela una noche después de la hora en que se apagan las luces para visitar a Jake y la atraparon. Dijo que había sido cuidadosa: no traía encendidos los faros del coche ni nada, pero el Águila la pescó; por si fuera poco, tenía una botella de vino en el coche, así que se metió en muchos problemas. El Águila la llevó a su casa y le ofreció lo mismo que a todos los que ha atrapado con consecuencias fatales: "O me dices todo lo que sabes o te vas a tu habitación a empacar". Así que Alaska tuvo que decirle que Marya y Paul estaban borrachos en su habitación en ese momento. Y quién sabe qué otras cosas le haya dicho. El Águila la soltó porque necesita soplones que hagan su trabajo. Ella fue lista, en realidad, al delatar a una de sus amigas, porque nadie piensa jamás en culpar a sus amigos. Por eso el Coronel estaba tan seguro que habían sido Kevin y sus chicos. Yo tampoco podía creer que fuera Alaska hasta que caí en la cuenta de que era la única persona en la escuela que podía saber lo que estaba haciendo Marya. Yo sospechaba del compañero de cuarto de Paul, Longwell, uno de los chicos que te hizo lo de la sirena sin brazos. Resulta que él estaba en casa esa noche. Había muerto su tía. Vi el obituario en el periódico: Hollis Burnis Chase, qué nombre tan tremendo para una mujer.

—¿Entonces el Coronel no lo sabe? —pregunté, azorado. Apagué mi cigarro, aun cuando no me lo había terminado bien, porque me sacó de onda.

Jamás me hubiera imaginado que Alaska Young podía ser desleal. Con estados de ánimo cambiantes, sí. Pero jamás una soplona.

—No, y no lo puede saber porque enloquecerá y hará que la expulsen. El Coronel se toma demasiado en serio todo eso del honor y la lealtad, por si no te has dado cuenta.

—Sí me he dado cuenta.

Takumi meneó la cabeza, con las manos haciendo a un lado las hojas para cavar la tierra aún húmeda debajo.

—No sé por qué tendría miedo de que la expulsaran. Yo no desearía que me expulsaran, pero tienes que aceptar lo que te toca.

—Pues es evidente que no le gusta ir a su casa.

—Cierto. Sólo va a su casa en Navidad y durante el verano, cuando Jake está allá. Pero bueno. A mí tampoco me gusta ir a casa. Aunque nunca le daría al Águila la satisfacción.

Takumi levantó una ramita y la clavó en la tierra suave, roja.

—No sé qué tipo de travesura están planeando Alaska y el Coronel para terminar con esto, pero estoy seguro de que los dos estaremos involucrados. Te digo esto para que sepas en lo que andas metido, porque tendrás que lidiar con las consecuencias.

Pensé en Florida, en mis "amigos de la escuela", y por primera vez noté cuánto extrañaría el Creek si tuviera que dejarlo. Miré la ramita erguida de Takumi clavada en el lodo y prometí:

—Juro por Dios que no diré nada.

Por fin entendí lo que había sucedido ese día con el Jurado: Alaska quería mostrarnos que podíamos confiar en ella. Sobrevivir en Culver Creek significaba lealtad y ella había ignorado eso. Luego me había enseñado cómo demostrarlo. Ella y el Coronel asumieron las consecuencias por mí para demostrarme cómo se hacía, para que supiera qué hacer cuando llegara el momento.

CINCUENTA Y OCHO DÍAS ANTES

Como una semana después desperté a las 6:30 —¡6:30 en una mañana de sábado!—, con la dulce melodía de *Decapitation*:

una ráfaga automática de disparos sobre la música amenazante y pesada del bajo del juego de video. Rodé hacia un lado y vi a Alaska jalar el controlador arriba y a la derecha, como si eso la fuera a ayudar a escapar de alguna muerte. Yo tenía ese mismo mal hábito.

—¿Por lo menos podrías jugar en silencio?

—Gordo —dijo, en apariencia condescendiente—, el sonido es parte integral de la experiencia artística de este juego de video. Silenciar *Decapitation* sería como leer una palabra sí y otra no de *Jane Eyre*. El Coronel despertó hace como media hora. Parecía un poco molesto, así que le dije que se fuera a dormir a mi habitación.

—Quizá yo haga lo mismo —dije, adormilado.

En vez de responderme, comentó:

—Oí lo que Takumi te dijo. Sí, yo delaté a Marya y lo siento. Nunca más lo volveré a hacer. Cambiando de tema, ¿pasarás el día de Acción de Gracias aquí? Porque yo sí.

Me di la vuelta hacia la pared y jalé los cobertores sobre mi cabeza.

No sabía si confiar en Alaska, pues sin duda ya había tenido suficiente de su carácter impredecible: fría un día, dulce al siguiente, irresistiblemente coqueta en un momento, insoportablemente fastidiosa en otro. Prefería al Coronel: cuando menos, si estaba de malas tenía una razón para ello.

Como una muestra del poder de la fatiga, me las ingenié para dormirme rápido, convencido de que los alaridos de los monstruos al morirse y los chillidos de placer de Alaska al matarlos no eran más que una banda sonora agradable con la cual soñar. Me desperté media hora después, cuando se sentó en mi cama, con su trasero contra mi cadera. "Su ropa interior, sus pantalones de mezclilla, el cobertor, mis pantalones de pana y mi bóxer entre nosotros", pensé. Cinco capas de tela y aun así sentí la calidez nerviosa del roce, un reflejo pálido de los fuegos artificiales de una boca sobre otra, pero un reflejo de cualquier modo. Y en la fugacidad del momento, me importó cuando menos lo suficiente. No estaba seguro de si me caía bien y dudaba confiar en ella, pero al menos me importaba lo suficiente para tratar de averiguarlo. Ella en mi cama y sus grandes ojos verdes mirándome con detenimiento. El misterio perdurable de su sonrisa traviesa, casi burlona. Cinco capas entre nosotros.

Continuó como si yo no hubiera estado dormido.

—Jake tiene que estudiar. Así que no me quiere en Nashville. Dice que no puede prestarle atención a la musicología mientras me mira. Le dije que me pondría una burka, pero no lo convencí, así que me quedaré aquí.

—Lo siento —dije.

—No, no importa. Tengo mucho quehacer. Hay una travesura que planear. Sin embargo, estaba pensando que tú también tendrías que quedarte aquí. De hecho, escribí una lista.

—¿Una lista?

Metió la mano en su bolsillo y sacó una hoja de cuaderno muy doblada y comenzó a leer.

"—Lista de razones por las que el Gordo debería quedarse en el Creek para el día de Acción de Gracias, por Alaska Young.

"Uno. Porque es un alumno muy concienzudo. El Gordo ha sido privado de muchas experiencias maravillosas de Culver Creek, incluidas pero sin limitarse a: *a)* beber vino conmigo en el bosque, *b)* levantarse temprano un sábado para desayunar en McIncomible y luego conducir por el área mayor de Birmingham fumando cigarros y hablando sobre cuán patética y aburrida es el área mayor de Birmingham, *c)* salir de noche y recostarse en el campo de futbol húmedo por el rocío y leer un libro de Kurt Vonnegut a la luz de la luna.

"Dos. Aun cuando no sobresale en esfuerzos tales como enseñar la lengua francesa, *madame* O'Malley ciertamente hace un relleno delicioso e invita a todos los alumnos que se quedan en la escuela a la cena de Acción de Gracias. Eso, por lo regular,

se reduce a mí y al alumno surcoreano de intercambio. Pero no importa, el Gordo sería bienvenido.

"*Tres*. En realidad no tengo un *Tres*, pero *Uno* y *Dos* son lo suficientemente buenos."

Uno y *Dos* sin duda me resultaban atractivos, pero sobre todo me gustaba la idea de sólo ella y yo en la escuela.

—Hablaré con mis padres, cuando despierten —le dije.

Me persuadió para que me fuera al sofá y jugamos *Decapitation* juntos hasta que de pronto soltó el controlador.

—No estoy coqueteando. Solamente estoy cansada —se justificó, pateando sus chanclas.

Luego subió los pies al sofá de hule espuma, metiéndolos detrás de un cojín, y se arrimó arriba para poner la cabeza en mi regazo. Mis pantalones de pana. Mi bóxer. Dos capas. Podía sentir la calidez de su mejilla sobre mi muslo.

A veces es apropiado, incluso preferible, tener una erección cuando el rostro de alguien está muy cerca de tu pene.

Ésta no era una de esas veces.

Así que dejé de pensar en las capas y la calidez, encendí la TV en silencio y me enfoqué en *Decapitation*.

A las 8:30 apagué el juego y me alejé de Alaska. Ella se volvió, todavía dormida. Las rayas de mis pantalones de pana estaban marcadas en su mejilla.

Por lo general solía llamar a mis padres únicamente los domingos en la tarde, así que cuando mi madre oyó mi voz, de inmediato brincó.

—¿Qué pasa, Miles? ¿Estás bien?

—Sí, mamá, estoy bien. Estoy pensando, si ustedes están de acuerdo, en quedarme aquí a pasar el día de Acción de Gracias. Muchos de mis amigos se van a quedar —mentira— y tengo mucho trabajo que hacer —mentira doble—. No tenía idea de lo difíciles que iban a ser las clases, mamá —verdad.

—Ay, cariño. Te extrañamos tanto. Y un gran pavo de Acción de Gracias te está esperando, junto con toda la salsa de arándanos que puedas comer.

Yo detestaba la salsa de arándanos, pero por alguna razón mi mamá insistía en creer que era mi comida favorita en todo el mundo, aun cuando cada día de Acción de Gracias, año tras año, amablemente la evitaba en mi plato.

—Lo sé, mamá. Yo también los extraño a ustedes. Pero de verdad quiero que me vaya bien aquí —verdad— y además es muy agradable tener, bueno, amigos —verdad.

Sabía que al sacar a colación lo de los amigos la convencería. Y lo logré. Así que me dio su bendición para quedarme en la escuela, después de prometerle estar con ellos cada minuto de las vacaciones de Navidad (como si tuviera otros planes).

Pasé la mañana en la computadora, brincando entre el ensayo de Religión y el de Inglés. Faltaban sólo dos semanas de clases antes de los exámenes: la que seguía y la posterior al día de Acción de Gracias, y hasta ahora, la mejor respuesta personal a "¿Qué le sucede a la gente después de morir?" era "Bueno, algo. Quizá..."

El Coronel llegó a mediodía, con su grueso libro de ultramatemáticas acunado entre sus brazos.

—Acabo de ver a Sara —dijo.

—¿Y cómo te fue?

—Mal. Dijo que todavía me quería. ¡Dios mío! "Te quiero" es la droga de escape al terminar una relación. Decir "te quiero" mientras uno cruza el círculo de dormitorios inevitablemente lleva a responder "te quiero" mientras lo estás haciendo. Así que salí corriendo.

Me reí.

El Coronel sacó un cuaderno y se sentó en su escritorio.

—Sí. Ja, ja. Alaska me dijo que te quedas.

—Sí. De todos modos, me siento un poco culpable por abandonar a mis padres.

—Sí, bueno. Ojalá no te quedes con la esperanza de hacerlo con Alaska. Si la desamarras del ancla que es Jake, eso sí sería un drama. Y, por regla general, me gusta evitar los dramas.

—No me quedo porque quiera hacerlo con ella.

—Espera —tomó un lápiz y se puso a garabatear en el papel a toda velocidad, como si acabara de tener una revelación matemática y luego me miró—. Acabo de hacer algunos cálculos y he podido determinar que eso es puro cuento.

Y estaba en lo cierto. ¿Cómo podía abandonar a mis padres, que me querían lo suficiente para pagar mi educación en Culver Creek? ¿A mis padres, que siempre me habían querido, sólo porque me gustaba una chica que tenía novio? ¿Cómo podía dejarlos solos con un gigantesco pavo y mares de salsa incomible de arándanos? Así que, en el tercer descanso, llamé a mi mamá a su trabajo. Quería que me dijera, supongo, que estaba bien, que me quedara en el Creek para Acción de Gracias, pero no esperaba que me dijera, toda emocionada, que ella y papá habían comprado boletos de avión para irse a Inglaterra después de mi llamada anterior y que planeaban pasar Acción de Gracias en un castillo durante su segunda luna de miel.

—Ah, eso... eso es sensacional —dije, y luego colgué lo más rápido que pude porque no quería que me oyera llorar. Creo que, cuando colgué bruscamente, Alaska me oyó desde su cuarto porque abrió la puerta cuando me volteé, pero no comentó nada. Caminé por el círculo de dormitorios y luego atravesé el campo de futbol para abrirme camino por el bosque hasta que fui a dar a las orillas del arroyo Culver, un poco más allá de donde está el puente. Me senté sobre una piedra, con los pies en la tierra oscura del lecho del arroyo, y lancé piedritas hacia el agua clara; el agua era poco profunda y éstas aterrizaban con un sonido vacío de *plop*, apenas audible sobre el rumor del arroyo conforme danzaba en su camino hacia el sur. La luz se filtraba por las hojas de los árboles y las agujas de los pinos como si fuera encaje; el suelo estaba manchado de sombras.

Pensé en aquello que extrañaba de casa: el estudio de mi papá con sus libreros empotrados, de piso a techo; los estantes pandeados debido a los gruesos tomos de las biografías, y la silla negra de cuero que me mantenía lo bastante incómodo para no quedarme dormido mientras leía. Era tonto sentirme tan desilusionado como estaba. Yo los había abandonado a ellos, pero sentía que había sido al revés. Aun así, estaba triste, sin lugar a dudas.

Miré hacia el puente y vi a Alaska sentada en una de las sillas azules del Agujero para fumar. Y aun cuando pensé que quería estar solo, dije:

—Oye —y luego, cuando no se volvió hacia mí, le grité—: ¡Alaska! —se acercó.

—Te estaba buscando —dijo, al sentarse junto a mí en la roca.

—Oye.

—Lo siento mucho, Gordo —dijo, y me abrazó, reposando la cabeza en mi hombro. Se me ocurrió que ni siquiera sabía lo que había sucedido, pero de cualquier manera sonaba sincera.

—¿Qué voy a hacer?

—Pasar Acción de Gracias conmigo, tonto. Aquí.

—¿Y por qué no te vas a casa a pasar las vacaciones? —le pregunté.

—Porque me dan mucho miedo los fantasmas, Gordo. Y mi casa está llena de ellos.

CINCUENTA Y DOS DÍAS ANTES

Después de que todos se fueron. Después de que llegó la mamá del Coronel en un carro amolado con una puerta trasera que se abría para arriba y de que él lanzara su gigantesca bolsa de lona en el asiento de atrás. Después de que dijo: "Yo no sirvo para las despedidas; te veo en una semana; no hagas nada que no haría yo". Después de que una limusina verde recogiera a Lara, cuyo padre era el único doctor de un pequeño pueblo del sur de Alabama. Después de acompañar a Alaska en una inquietante salida al aeropuerto (de ésas de para-qué-necesitamos-frenos) para dejar a Takumi. Después de que la escuela entró en una quietud espectral, sin puertas que se azotaran, sin música, sin risas, sin gritos. Después de todo eso:

Nos dirigimos al campo de futbol y ella me llevó a la orilla en donde empieza el bosque. Dimos los mismos pasos que había caminado cuando me lanzaron al lago. Bajo la luna llena, se podía ver su silueta y la curva de su cintura a sus caderas en la sombra. Luego de un rato se detuvo y dijo:

—Cava.

—¿Cava?

—Cava.

Así seguimos un rato, luego me arrodillé y cavé en la suave tierra negra a la orilla del bosque. Antes de que llegara hondo, mis dedos rasguñaron vidrio y cavé alrededor hasta que saqué una botella de vino rosa, de nombre Strawberry Hill, supongo que porque si no hubiera sabido a vinagre con un toque de jarabe de maple, hubiera sabido a fresas.

—Tengo una identificación falsa —dijo—, pero es una fregadera. Por eso, cada vez que voy a la licorería trato de comprar diez botellas de esto y un poco de vodka para el Coronel. Así, cuando funciona, tengo suficiente para un semestre. Luego le doy al Coronel su vodka y él lo pone en donde quiera. Yo tomo lo mío y lo entierro.

—Porque eres pirata.

—Sí, compañero. Precisamente. Pero el consumo de vino se ha elevado un poco este semestre, por lo que será necesario hacer un recorrido mañana. Ésta es la última botella —le quitó el tapón (no había corcho), dio un sorbo y me la pasó.

—No te preocupes por el Águila esta noche. Está feliz de que casi todo el mundo se haya ido. Probablemente se esté masturbando por primera vez en un mes.

Eso me preocupó un momento, mientras detenía la botella por el cuello; pero quería confiar en ella, y lo hice. Tomé un trago y, en cuanto me lo pasé, mi cuerpo rechazó el jarabe punzante del licor. Sentí cómo me volvía por el esófago, pero tragué con fuerza y lo conseguí. Estaba bebiendo en los terrenos de la escuela.

Nos recostamos en los pastos altos, entre el campo de futbol y el bosque. Pasábamos la botella de un lado al otro e inclinábamos nuestras cabezas para sorber el vino inductor de respingos. Como lo había prometido en su lista, me trajo un libro de Kurt Vonnegut, *Cat's Cradle*, que me leyó en voz alta. Su voz suave se mezclaba con el croar de las ranas y los saltos de lo grillos que aterrizaban suavemente a nuestro alrededor. No oía tanto sus palabras como la cadencia de su voz. Era evidente que había leído el libro muchas veces anteriores, pues lo leía sin errores y con confianza, y podía oír su sonrisa al leerlo. El sonido de esa sonrisa me hacía pensar que quizá me gustarían más las novelas si Alaska Young me las leyera. Después de un rato, bajó el libro y yo me sentí mareado pero no borracho. La botella reposaba entre nosotros, mi pecho tocaba la botella y su pecho tocaba la botella, pero nosotros no nos tocábamos. Puso una mano en mi pierna.

Su mano, justo arriba de mi rodilla. La palma, lisa y suave, contra mis pantalones de mezclilla. Su dedo índice hacía círculos lentos, perezosos, que se dirigían al interior de mi muslo. Y una capa entre nosotros. ¡Dios mío! ¡Vaya que la deseaba! Acostados ahí, entre el pasto alto y quieto, bajo el cielo borracho de estrellas, escuchábamos sólo el casi-imperceptible-sonido de su respiración rítmica y el silencioso ruido del croar de las ranas, las alas de los saltamontes, los coches distantes que corrían sin cesar por la carretera I-65. Pensé que sería un buen momento para decir las "dos palabritas". Y me preparé para decirlas al mirar la noche más estrellada, convencido de que ella las sentía también, que su mano tan viva y vivaz contra mi pierna era más que juguetona, que me valía Lara, que me valía Jake porque yo sí te quiero, Alaska Young, y qué más importaba aparte de eso. Mis labios se separaron para hablar y antes de que pudiera empezar a pronunciar las palabras, ella dijo:

—El laberinto no es vida o muerte.

—Ah, está bien. Entonces, ¿qué es?

—Sufrimiento —dijo—. Hacer el mal y que te sucedan cosas malas. Ése es el problema. Bolívar hablaba sobre el dolor, no sobre los vivos y la muerte. ¿Cómo te escapas del laberinto del sufrimiento?

—¿Qué pasa? —pregunté. Y ya no sentí su mano sobre mí.

—No pasa nada. Pero siempre hay sufrimiento, Gordo. Tarea o malaria o tener un novio que vive lejos cuando hay un chico bien parecido acostado junto a ti. El sufrimiento es universal. Es aquello de lo que se preocupan por igual budistas, cristianos y musulmanes.

Me volví hacia ella.

—Ah, entonces la clase del doctor Hyde no es pura basura.

Los dos estábamos acostados de lado. Ella sonrió y nuestras narices casi se tocan. Mis ojos sin parpadear sobre los suyos. Su rostro enrojecido por el vino. Abrí la boca de nuevo, pero esta vez no para hablar, y ella alzó la mano, me puso un dedo en los labios y dijo:

—*Shh, shh.* No lo arruines.

CINCUENTA Y UN DÍAS ANTES

A la mañana siguiente, no escuché los toquidos en la puerta, si es que los hubo. Sólo oí:

—¡Arriba! ¿Sabes qué hora es?

Miré el reloj y murmuré atontado:

—Son las siete treinta y seis.

—No, Gordo. ¡Es hora de la fiesta! Solamente nos quedan siete días antes de que regresen todos. ¡Oh, Dios! Ni siquiera te puedo decir lo rico que es que estés aquí conmigo. El año pasado me pasé todas las vacaciones fabricando una sola vela masiva, a partir de la cera de todas mis velitas. Qué aburrido. Conté los mosaicos del techo. Sesenta y siete de arriba abajo. Ochenta y cuatro de derecha a izquierda. ¡Esto sí que es sufrimiento! En realidad una absoluta tortura.

—Estoy de verdad cansado. Yo... —hablé y ella me interrumpió.

—Pobrecito Gordo. Uy, pobrecito Gordo. ¿Quieres que me meta a la cama contigo y te abrace?

—Bueno, si me estás ofreciendo...

—¡No! ¡Arriba! ¡Ahora!

Me llevó entonces a la parte posterior de un ala de habitaciones de Guerreros Semaneros, de la 50 a la 59. Se detuvo justo enfrente de una ventana, luego colocó las palmas de las manos contra ésta, la empujó hasta que estaba medio abierta y se metió. Yo la seguí.

—¿Qué ves, Gordo?

Vi una habitación, las mismas paredes de bloque de concreto, las mismas dimensiones, incluso la misma distribución que la mía. Su sofá era más bonito y tenían una verdadera mesa de café en vez de una MESA PARA CAFÉ. Había dos carteles en la pared. Uno tenía un gigantesco montón de billetes de cien dólares con el título EL PRIMER MILLÓN ES EL MÁS DIFÍCIL. En la pared opuesta, un cartel con un Ferrari rojo.

—Este... veo un dormitorio.

—No estás mirando, Gordo. Cuando yo entro en tu habitación, veo a un par de chicos a los que les encantan los juegos de video. Cuando veo mi habitación, veo a una chica a la que le encantan los libros —se acercó al sofá y levantó una botella plástica de refresco—. Mira esto —la señaló y vi que estaba medio llena con un líquido café, nauseabundo. Escupitajos de rapé—. Así que mastican rapé. Y evidentemente no son muy higiénicos al hacerlo. Así que, seguro no les importará si orinamos en sus cepillos de dientes. No les importará mucho, eso es seguro. Mira. Dime lo que les encanta a estos cuates.

—Les encanta el dinero —dije, señalando el cartel. Ella alzó las manos, desesperada.

—A todos ellos les encanta el dinero, Gordo. Bueno, asómate al baño. Dime lo que ves allí.

El juego empezaba a molestarme, pero entré al baño y ella se sentó en ese sofá acogedor. Junto a la regadera, encontré una docena de botellas de champú y acondicionador. En el botiquín de medicinas, había una botella cilíndrica de algo llamado Rewind. La abrí: el gel azulado olía a flores y a alcohol de frotar, como una estética elegante. (Bajo el lavabo también encontré un tarro de Vaselina tan grande que sólo podía haber tenido un uso, pero no quería pensar en eso.) Regresé a la habitación y dije, entusiasmado:

—Les encanta su cabello.

—¡Exacto! —gritó—. Mira en la litera superior —colocada peligrosamente en la delgada tabla de madera de la cama, había una botella de gel Stawet—. Kevin no amanece con esos pelos parados como púas, Gordo. Trabaja para conseguir esa apariencia. Le encanta traer el pelo así. Ellos dejan aquí sus productos para el pelo, Gordo, porque tienen repuestos en casa. Todos estos chicos lo hacen. ¿Sabes por qué?

—¿Para compensar sus penes pequeños? —pregunté.

—Ja, ja. No. Por eso son machos imbéciles. Aman su cabello porque no son lo bastante listos para amar algo más interesante. Así que vamos a golpearlos donde más les duele: el cuero cabelludo.

—*Okey* —dije, no muy seguro de cómo hacerle travesuras al cuero cabelludo de alguien.

Ella se puso de pie, caminó hacia la ventana y se inclinó para salir.

—No me veas el trasero —pidió, así que miré su trasero, que se extendía a partir de su cintura delgada. Sin esfuerzo dio una voltereta para salirse por la ventana medio abierta. Yo opté por salir primero por los pies, y una vez que puse los pies en la tierra, impulsé la parte superior del cuerpo para sacarlo por la ventana.

—Bueno —afirmó—, eso pareció difícil. Vamos al Agujero para fumar.

Arrastró los pies para patear la tierra seca color naranja del camino al puente, aparentando esquiar a campo traviesa más que caminar. Conforme seguíamos el casi sendero desde el puente hasta el Agujero, se dio la vuelta, me miró y se detuvo.

—Me pregunto dónde se conseguirá tinte azul de uso industrial —y detuvo la rama de un árbol para que yo pasara.

CUARENTA Y NUEVE DÍAS ANTES

Dos días después, lunes, el primer día verdadero de vacaciones, pasé la mañana trabajando en mi ensayo de Religión y fui a la habitación de Alaska por la tarde. Leía en la cama.

—Auden —anunció—. ¿Cuáles fueron sus últimas palabras?

—No sé. Nunca lo había oído mencionar.

—¿Nunca lo habías oído mencionar? Pobrecito niño ignorante. Mira, lee esta línea —me acerqué y miré su dedo índice.

"—Amarás a tu vecino desviado / Con tu corazón desviado" —leí en voz alta.

—Sí. Eso está muy bien —dije.

—¿Muy bien? Sí, y los *bufritos* están muy bien. El sexo es muy divertido. El sol es muy caliente. ¡Dios mío!, dice tanto sobre el amor y el resquebrajamiento: es perfecto.

—Ajá —asentí sin entusiasmo.

—Eres irremediable. ¿Quieres ir a buscar pornografía?

—¿Qué?

—No podemos amar a nuestros vecinos hasta que no sepamos cuán desviados están sus corazones. ¿Qué, no te gusta la pornografía? —preguntó, sonriendo.

—Mmm —contesté. En realidad no había visto mucha pornografía, pero la idea de verla con Alaska tenía cierto atractivo.

Empezamos en el ala de dormitorios con las habitaciones número 50 y nos fuimos en sentido contrario alrededor del hexágono. Ella empujaba las ventanas traseras mientras que yo miraba para todos lados para asegurarme de que nadie anduviera cerca.

Yo nunca había entrado a las habitaciones de otras personas. Después de tres meses, conocía a casi todos; pero por lo regular hablaba con muy pocos: con el Coronel, Alaska y Takumi, básicamente. Sin embargo, en unas cuantas horas conocí bastante bien al resto de mis compañeros.

Wilson Carbod, el centro de los Nadas de Culver Creek, tenía hemorroides, o cuando menos, crema para hemorroides guardada en el cajón inferior de su escritorio. Chandra Kilers, una chica bonita a la que le gustaban demasiado las matemáticas y que Alaska creía sería la futura novia del Coronel, coleccionaba muñecos Cabbage Patch. Con esto no quiero decir que los coleccionara desde que tenía como cinco años. Los coleccionaba ahora: tenía docenas de muñecos Cabbage Patch, negros, blancos, latinos, asiáticos, niños y niñas, bebés vestidos como granjeros y como hombres de negocios exitosos. Una Guerrera Semanera del último grado, Holly Moser, dibujaba autorretratos desnudos en carboncillo, reflejando sus formas rotundas en todo su esplendor.

Me azoró la cantidad de gente que tenía alcohol. Incluso los Guerreros Semaneros, que van a casa todos los fines de semana, tenían cerveza y licor escondido por todas partes: desde en los tanques del wc hasta en el fondo de los cestos de ropa sucia.

—¡Dios mío!, pude haber delatado a cualquiera —dijo Alaska despacito al sacar un botellón de más de un litro de licor de malta Magnum del clóset de Longwell Chase. Me pregunté, entonces, por qué habría elegido a Paul y a Marya.

Alaska averiguó los secretos de todos tan rápido que sospeché que ya lo había hecho antes, pero con seguridad no tenía información previa de los secretos de Ruth y Margot Blowker, hermanas gemelas de noveno año que eran nuevas y parecían incluso menos sociables que yo.

Después de meterse a rastras en su habitación, Alaska miró a los lados un momento y luego se acercó al estante de libros. Lo miró y sacó la versión autorizada de la Biblia junto con una botella morada de un *cooler* de vino Maui Wowie.

—¡Qué listas! —dijo, mientras le quitaba la tapa. Se lo bebió de dos tragos largos y proclamó—: ¡Maui Wowie!

—¡Sabrán que estuviste aquí! —grité.

Abrió mucho los ojos.

—¡Oh, no, tienes razón, Gordo! —exclamó—. ¡A lo mejor van a decirle al Águila que alguien se robó su *cooler* de vino! —se rio y se inclinó por la ventana, lanzando la botella vacía al pasto.

Encontramos bastantes revistas porno metidas entre colchones y *box springs*. Resultó que a Hank Walsten sí le gustaba otra cosa aparte del basquetbol y la mariguana: la revista *Juggs*. Pero no hallamos una película sino hasta la habitación 32, que ocupaba un par de chicos de Misisipi llamados Joe y Marcus. Estaban con nosotros en la clase de Religión y a veces se sentaban con el Coronel y conmigo a la hora de la comida, pero realmente no los conocía bien.

Alaska leyó el título en la etiqueta de la caja del video:

—*Las zorras de Madison County*. Bueno. No es encantador.

Corrimos con él hasta la sala de TV, cerramos las persianas, le echamos llave a la puerta y vimos la película. Empezaba con una mujer parada en un puente con las piernas abiertas, mientras un tipo, arrodillado frente a ella, le practicaba sexo oral. No había tiempo para el diálogo, supuse. Para cuando empezaron a hacerlo, Alaska se arrancó con su cantaleta de indignación:

—No hacen que el sexo se vea divertido para las mujeres. La chica sólo es un objeto. ¡Mira! ¡Mira eso!

Yo ya estaba mirando, lo cual sobra decirse. Ahora se veía una mujer a gatas mientras un tipo se arrodillaba detrás de ella, que repetía: "Dámelo", al tiempo que gemía, aun cuando sus ojos color café estaban en blanco y mostraban su falta de interés. Yo no podía evitar tomar notas mentales: "Manos en sus hombros. Rápido pero no demasiado, porque si no, se termina en un dos por tres. Mantén tus gruñidos a raya".

Como si me estuviera leyendo el pensamiento, dijo:

—Por Dios, Gordo. Nunca lo hagas así de duro. Eso dolería. Parece tortura. ¿Y todo lo que ella puede hacer es estarse ahí y aguantarse? Ésos no son un hombre y una mujer. Son un pene y una vagina. ¿Qué tiene de erótico eso? ¿Dónde están los besos?

—Dadas las posiciones, creo que en este momento no se pueden besar —observé.

—Justo es lo que digo. Tan sólo por la manera como lo hacen, son objetos. ¡Él ni siquiera puede ver la cara de ella! Esto es lo que le puede suceder a las mujeres, Gordo. Esa mujer es la hija de alguien. Esto es lo que ustedes nos hacen hacer por dinero.

—Bueno, yo no —me defendí—. Digo, no técnicamente. Yo no, bueno, yo no produzco películas porno.

—Mírame a los ojos y dime que esto no te calienta, Gordo.

No pude. Se rio. Estaba bien, dijo. Era sano. Luego se levantó, detuvo la cinta, se recostó de panza en el sofá y murmuró algo.

—¿Qué dijiste? —me acerqué a ella y coloqué mi mano en la hendidura de su espalda.

—Shhhh. Estoy durmiendo.

Así tal cual. De cien kilómetros por hora a dormirse en un nanosegundo. Yo quería acostarme junto a ella en el sofá, abrazarla y dormir. No coger, como en esas películas. Ni siquiera tener sexo. Sólo dormir juntos, en el sentido más inocente de la frase. Pero me faltaba valor, ella tenía novio, yo era torpe, ella era preciosa, yo era un aburrido sin remedio y ella era fascinante hasta el infinito. Así que regresé a mi habitación y caí sobre la litera inferior, pensando que si las personas fueran lluvia, yo sería llovizna y ella, un huracán.

CUARENTA Y SIETE DÍAS ANTES

El miércoles por la mañana, desperté con la nariz mormada y me topé con un Alabama completamente nuevo, fresco y frío. Al caminar hacia la habitación de Alaska, el pasto escarchado del círculo de dormitorios crujía bajo mis zapatos. No te topas con mucha escarcha en Florida, y yo saltaba como si pisara plástico de burbujas.

Crunch. Crunch. Crunch.

Alaska tenía en la mano una vela verde encendida boca abajo. Dejaba caer la cera sobre un volcán hecho en casa, tan grande que parecía un proyecto de Ciencias Naturales de secundaria en techni-color.

—No te vayas a quemar —le advertí, a medida que la llama se trepaba hacia su mano.

—La noche cae rápido. Hoy está en el pasado —dijo, sin mirar arriba.

—Espera, yo he leído eso antes. ¿Quién es?

Con la mano libre, me lanzó un libro. Cayó a mis pies.

—Es un poema de Edna St. Vincent Millay. ¿La has leído? Me sorprendes.

—¡Oh! Leí su biografía, aunque no tengo sus últimas palabras. Eso me amargó un poco. Todo lo que recuerdo es que tenía mucho sexo.

—Lo sé. Es mi heroína —dijo Alaska, sin nada de ironía. Me reí, pero no se dio cuenta—. ¿No te parece raro que disfrutes las biografías de los grandes escritores mucho más de lo que disfrutas sus escritos?

—¡No! —le anuncié—. El hecho de que fueran personas interesantes no significa que me interese oír sus cavilaciones sobre la noche.

—Se trata de la depresión, menso.

—¡Aaaaaay! ¿De veras? Bueno, entonces es brillante —respondí.

—Bueno —suspiró—. La nieve puede estar cayendo en el invierno de mi descontento, pero cuando menos, tengo un acompañante sarcástico. Siéntate, ¿sí?

Me senté junto a ella con las piernas cruzadas y nuestras rodillas se tocaron. Ella sacó un cajón transparente de plástico lleno de docenas de velas debajo de su cama. Lo miró por un momento; luego me pasó una vela blanca y un encendedor.

Pasamos toda la mañana quemando velas y, una que otra vez, prendiendo cigarros con las velas encendidas tras enrollar una toalla abajo de su puerta. A lo largo de dos horas, añadimos treinta centímetros a la cumbre de su volcán policromo de velas.

—El monte Santa Helena sobre ácido —dijo.

A las 12:30 del mediodía, después de suplicarle dos horas que me diera un aventón a McDonald's, Alaska decidió que era hora de comer. Al encaminarnos hacia el estacionamiento de alumnos, vi un carro extraño. Un pequeño carro verde. Un carro cuya puerta posterior se abría hacia arriba. "Ese carro lo he visto antes. ¿Dónde?", pensé. Luego el Coronel saltó hacia fuera y corrió hacia nosotros.

En vez de un "hola" o algo así, el Coronel dijo:

—Me han dado instrucciones de invitarlos a la cena de Acción de Gracias en Chez Martin.

Alaska me susurró algo al oído, yo me reí y contesté:

—Me han dado instrucciones de aceptar su invitación —así que caminamos a la casa del Águila, le dijimos que íbamos a comer pavo al estilo campamento de tráileres y nos fuimos en el carrito.

El Coronel nos lo explicó durante el viaje de dos horas en coche hacia el sur. Yo estaba hecho bolita en el asiento de atrás, porque Alaska había decidido irse en el asiento de adelante, mirando hacia atrás. Ella solía manejar, pero cuando no lo hacía, era la reina del mundo para eso de sentarse viendo hacia atrás. La mamá del Coronel supo que nos habíamos quedado en la escuela y no podía soportar la idea de dejarnos sin familia para Acción de Gracias. Al Coronel no parecía encantarle la idea:

—Voy a tener que dormir en una tienda de campaña —dijo, y yo me reí.

Resultó que sí tuvo que dormir en una tienda de campaña, un objeto verde, agradable, para cuatro personas y con forma de medio huevo, pero que seguía siendo una tienda de campaña. La mamá del Coronel vivía en un remolque, como los que verías jalados por un gran camión tipo *pickup*, excepto que éste era bastante viejo, se deshacía sobre sus bloques de concreto y probablemente no hubiera podido conectarse a un camión sin desintegrarse. Ni siquiera era un remolque muy alto. Yo apenas podía pararme con toda mi estatura sin rozar el techo. Entendí por qué el Coronel era bajo: no podía darse el lujo de ser más alto. El lugar era, en realidad, una sola habitación larga, con una cama *full-size* al frente, una cocineta, un área de sala con TV en la parte de atrás y un baño pequeño, tan pequeño que, para bañarte, casi tenías que sentarte en el WC.

—No es mucho —nos dijo la mamá del Coronel ("Dolores, no señora Martin")—. Pero todos ustedes cenarán un pavo del tamaño de la cocina —se rio. El Coronel nos sacó del remolque de inmediato después del pequeño recorrido y caminamos por el barrio, una serie de remolques y hogares móviles sobre caminos de tierra.

—Bueno, ahora entienden por qué detesto a los ricos —así fue. No podía imaginar cómo había crecido el Coronel en un lugar tan pequeño. El remolque entero era más pequeño que nuestro dormitorio. No sabía qué decirle, cómo hacerlo sentir menos avergonzado.

—Lo siento si los hace sentir incómodos —dijo—. Sé que seguramente les parece muy raro.

—A mí, no —declaró Alaska.

—Bueno, tú no vives en un remolque —le contestó.

—El pobre es pobre.

—Supongo —dijo el Coronel.

Alaska decidió ayudar a Dolores con la cena. Dijo que era sexista dejarle la cocina a las mujeres, pero era mejor tener buena comida sexista que comida basura preparada por chicos. Así que el Coronel y yo nos sentamos en el sofá cama de la sala, para jugar juegos de video y hablar acerca de la escuela.

—Terminé mi ensayo de Religión. Pero tengo que capturarlo en tu computadora cuando regresemos. Creo que estoy listo para los exámenes finales, lo que es bueno porque tenemos una tra-fa ve-fe su-fu ra-fa que hacer.

—¿Tu mamá no entiende las efes?

—No si hablo rápido. Pero por Dios, cállate.

La comida, angú frito, elotes al vapor y carne de res cocida a fuego lento, tan tierna que se caía del tenedor de plástico, me convenció de que Dolores era mejor cocinera incluso que Maureen. El angú de Culver Creek tenía menos grasa y era más crujiente. Dolores también era la mamá más graciosa que hubiera yo conocido. Cuando Alaska le preguntó en qué trabajaba, ella sonrió y luego dijo:

—Soy ingeniera culinaria. Esto significa ser cocinera de platillos rápidos en la Casa de los Waffles.

—La mejor Casa de Waffles de Alabama —el Coronel sonrió y me di cuenta de que no estaba para nada avergonzado de su mamá. Sólo temía que actuáramos como fresas condescendientes de internado. Siempre había pensado que la posición del Coronel de detesto-a-los-ricos era un poco sobreactuada hasta que lo vi con su mamá. Era el mismo Coronel, pero en un contexto del todo diferente. Me dio la esperanza de que algún día conociera también a la familia de Alaska.

Dolores insistió en que Alaska y yo compartiéramos la cama, mientras ella se acostó en el sofá cama y el Coronel dormía afuera en la tienda de campaña. Me preocupaba que tuviera frío, pero la verdad es que yo no tenía intenciones de abandonar mi cama con Alaska. Teníamos cobijas separadas y nunca hubo menos de tres capas de tela entre nosotros, pero las posibilidades no me dejaron dormir la mitad de la noche.

CUARENTA Y SEIS DÍAS ANTES

Fue la mejor comida de Acción de Gracias que haya comido jamás. Sin horrorosa salsa de arándanos. Sólo grandes rebanadas de carne blanca y jugosa, elotes, ejotes cocinados en suficiente grasa de tocino para que supieran como si no fueran buenos para ti, panecillos con salsa oscura, pay de calabaza de postre y una copa de vino tinto para cada uno.

—Yo creo —dijo Dolores— que uno debe tomar vino blanco con el pavo; pero, no sé a ustedes, a mí me importa un bledo.

Nos reímos y bebimos nuestro vino. Luego, después de la comida, cada uno enumeró aquello por lo que estaba agradecido. Mi familia siempre hacía eso antes de la comida, y lo hacíamos a toda carrera para comer pronto. Así que los cuatro nos sentamos alrededor de la mesa y compartimos nuestras bendiciones. Yo estaba agradecido por la deliciosa comida, por la fina compañía y por tener un hogar el día de Acción de Gracias.

—Un remolque, cuando menos —bromeó Dolores.

—Bueno, es mi turno —siguió Alaska—. Yo estoy agradecida por haber tenido mi mejor día de Acción de Gracias en una década.

—Yo sólo estoy agradecido por ti, mamá —afirmó luego el Coronel.

—Ese perro no cazará, muchacho —dijo riendo Dolores.

Yo no sabía bien qué significaba esa frase, pero en apariencia era "eso no es adecuado" porque, cuando el Coronel extendió su lista para dar las gracias por ser el "humano más listo de este parque de tráileres", Dolores se rio y luego dijo "eso es suficientemente bueno".

¿Y Dolores? Ella estaba agradecida de que le hubieran conectado de nuevo la línea telefónica, de que su hijo estuviera en casa, de que Alaska la ayudara a cocinar, de que yo hubiera mantenido al Coronel ocupado, de tener un trabajo fijo, de que sus compañeros de trabajo fueran amables, de contar con un lugar en donde dormir y de tener un hijo que la amara.

Me senté en la parte trasera del coche de regreso a casa, porque así consideraba el internado: casa, y me quedé dormido al ritmo monótono de la canción de cuna de la carretera.

CUARENTA Y CUATRO DÍAS ANTES

—Todo el modelo comercial de Licores Coosa se basa en vender cigarros a menores y alcohol a adultos.

Alaska me miraba con una frecuencia desconcertante mientras manejaba, sobre todo desde que empezamos a bajar por una autopista estrecha y con colinas al sur de la escuela, rumbo a la ya mencionada tienda de Licores Coosa. Era sábado, el último día verdadero de vacaciones.

—Eso está bien, si sólo necesitas cigarros. Pero nosotros necesitamos alcohol. Y ellos te piden identificación para venderte alcohol. Mi identificación es de a mentiras. Pero coquetearé hasta lograrlo.

Dio una vuelta súbita y sin señalización hacia la izquierda, tomando un camino que bajaba de manera precipitada por una colina con campos a los lados. Agarró el volante con fuerza mientras acelerábamos y esperó hasta el último momento posible para frenar, justo antes de llegar a la falda de la colina.

Allí había una estación de gasolina construida con chapa de madera, que ya no vendía gasolina pero tenía un letrero viejo atornillado al techo: LICORES COOSA: SATISFACEMOS TUS NECESIDADES ESPIRITUOSAS.

Alaska entró sola y salió por la puerta cinco minutos después, con dos bolsas de papel llenas de contrabando: tres cajas de cigarros, cinco botellas de vino y una quinta de vodka para el Coronel. Camino a casa, preguntó:

—¿Te gustan los chistes de *toc-toc*?

—¿Chistes de toc-toc? ¿Como ésos de *toc-toc...*?

—¿Quién es?

—¿Quién?

—¿Quién, quién?

—¿Qué, eres tartamuda? —terminé. Qué tonto.

—Eso fue brillante —dijo Alaska—. Yo tengo uno. Tú empiezas.

—Está bien. *Toc-toc.*

—¿Quién está ahí? —dijo Alaska.

La miré sin expresión alguna. Como un minuto después, capté y me reí.

—Mi mamá me contó ese chiste cuando tenía seis años de edad. Sigue siendo chistoso.

Por eso, no podría haberme sorprendido más cuando llegó llorando a la habitación 43, justo cuando estaba dándole los últimos toques al ensayo final para Inglés. Se sentó en el sofá. Cada exhalación suya era una mezcla de lloriqueo y grito.

—Lo siento —dijo, y se levantó; los mocos le escurrían por la barbilla.

—¿Qué pasa? —pregunté.

Tomó un pañuelo de la MESA PARA CAFÉ y se limpió la cara.

—Yo no... —empezó y sollozó como un tsunami. Su grito fue tan fuerte e infantil que me asustó y me levanté. Me senté junto a ella y la abracé. Ella se volteó, empujando la cabeza hacia el hule espuma del sofá.

—No entiendo por qué lo enredo todo —dijo.

—¿Qué, como con Marya? Quizá tenías miedo.

—¡El miedo no es una buena excusa! —le gritó al sofá—. ¡Tener miedo es la excusa que todos usan siempre!

Yo no sabía quiénes eran "todos" o cuándo era "siempre" y, sin importar cuánto quería yo entender sus ambigüedades, su evasión se volvía cada vez más molesta.

—¿Por qué estás tan sacada de onda por esto ahora?

—No es sólo eso. Es todo. Pero se lo dije al Coronel en el coche —aspiró fuerte por la nariz pero pareció haber terminado con los sollozos—, mientras dormías atrás. Y dijo que él nunca me perdería de vista durante las travesuras. Que no podía confiar en mí si estaba sola. Y no lo culpo. Yo tampoco confío en mí.

—Pero tuviste agallas para decírselo —le dije.

—Tengo agallas, sólo que no cuando debería tenerlas. ¿Podrías...? —se sentó derecha, se me acercó y yo levanté el brazo mientras ella se colapsaba en mi pecho y lloraba. Me sentí mal por ella, pero ella se lo hizo sola. No tenía que delatar a nadie.

—No quiero molestarte, pero quizá necesitas decirnos a todos por qué delataste a Marya. ¿Temías tener que regresar a casa o algo así?

Se alejó de mí y me echó una "mirada de la perdición" que habría hecho sentir orgulloso al Águila, y creí que me odiaba o que odiaba mi pregunta o ambas cosas. Luego miró hacia otro lado, afuera de la ventana, al campo de futbol, y dijo:

—No hay casa.

—Bueno, pero tienes una familia —retrocedí. Me había hablado de su madre apenas esa mañana. ¿Cómo podía ser que la chica que había contado ese chiste tres horas antes se hubiera convertido en este mar de lágrimas?

Aún con la mirada fija en mí, me dijo:

—Procuro no tener miedo, ¿sabes? Pero de todas maneras arruino todo. Aun así lo destrozo.

—Está bien. Está bien —ya ni siquiera sabía de lo que estaba hablando. Una noción vaga tras otra.

—¿No sabes a quién quieres, Gordo? Quieres a la chica que te hace reír, te muestra pornografía y bebe vino contigo. No quieres a la zorra loca, malhumorada.

Y bueno, algo había de eso, a decir verdad.

NAVIDAD

Todos nos fuimos a casa a pasar Navidad, incluso Alaska que decía no tener casa.

Recibí un reloj mono y una billetera nueva, "regalos de adulto", los llamaba mi padre. Pero sobre todo, me pasé esas dos semanas estudiando.

Las vacaciones de Navidad en realidad no fueron vacaciones, dado que era nuestra última oportunidad de estudiar para los exámenes, que empezaron al día siguiente después de regresar. Yo me enfoqué en Precálculo y Biología, las dos clases que más amenazaban mi meta de un promedio general de aprovechamiento de 3.4. Quisiera decir que lo hacía por la emoción de aprender, pero sobre todo era por la emoción de entrar en una buena universidad.

Así que, sí, me pasé buena parte del tiempo en casa estudiando Matemáticas y memorizando vocabulario de Francés, justo como hacía antes de entrar a Culver Creek. La verdad es que esas dos semanas en casa fueron como regresar a mi vida antes de Culver Creek, excepto que mis padres estaban más sentimentales. Hablaron muy poco acerca de su viaje a Londres. Creo que se sentían culpables. Eso es curioso de los padres. Aun cuando casi me quedé en el Creek el día de Acción de Gracias porque yo así lo quise, mis padres seguían sintiéndose culpables. Es bueno tener personas que se sientan culpables por ti, a pesar de haber podido vivir sin que mi madre llorara en cada cena familiar. Ella decía: "Soy una mala madre". Y mi papá y yo de inmediato respondíamos: "No, no, no lo eres".

Incluso papá, que es afectuoso pero no sentimental, de vez en cuando, mientras veíamos *Los Simpson*, decía que me extrañaba. Le dije que también yo lo extrañaba, y era cierto de algún modo. Son personas tan lindas. Fuimos al cine, jugamos cartas, les conté las historias que pude sin horrorizarlos y ellos escucharon. Papá, que vendía bienes raíces, pero leía más libros que cualquier otra persona que yo conociera, me hablaba sobre los libros que yo estaba leyendo para la clase de Inglés, y mamá insistía en que me sentara con ella en la cocina para aprender a preparar platillos básicos, como macarrones con queso y huevos revueltos, ahora que estaba viviendo "solo". No importaba que no tuviera, ni deseara tener, una cocina. No importaba que no me gustaran ni los huevos ni los macarrones con queso. No obstante, para Año Nuevo ya podía prepararlos.

Cuando me fui, los dos lloraron; mamá explicó que era sólo el síndrome del nido vacío, que estaban muy orgullosos de mí y que me querían mucho. Eso me formó un nudo en la garganta y dejó de importarme el día de Acción de Gracias. Yo tenía una familia.

OCHO DÍAS ANTES

Alaska llegó el primer día después de las vacaciones de Navidad y se sentó junto al Coronel en el sofá.

El Coronel trabajaba duro, para romper un récord de velocidad en los juegos de video.

No mencionó que nos hubiera extrañado ni que estuviera contenta de vernos. Sólo miró el sofá y dijo:

—Ustedes de verdad necesitan un sofá nuevo.

—Por favor, no te dirijas a mí cuando estoy en una carrera —le indicó el Coronel—. ¡Dios mío! ¿Acaso Jeff Gordon tiene que soportar esta basura?

—Tengo una idea —dijo ella—. Es fantástica. Lo que necesitamos es una pretravesura que implique un ataque a Kevin y a sus secuaces.

Yo estaba sentado sobre la cama, leyendo concentrado el libro de texto para mi examen de Historia de Estados Unidos, que era el día siguiente.

—¿Una pretravesura? —pregunté.

—Una pretravesura pensada para que la administración tenga una falsa pista de seguridad —respondió el Coronel, molesto por la distracción—. Después de la pretravesura, el Águila pensará que los alumnos de penúltimo año ya hicieron su travesura y no la estarán esperando cuando en realidad llegue.

Cada año, los alumnos de decimoprimero y decimosegundo grados hacían una travesura en algún momento, por lo general algo bobo, como lanzar cohetes en el círculo de dormitorios a las cinco de la mañana algún domingo.

—¿Siempre hay una pretravesura? —pregunté.

—No, tonto —dijo el Coronel—. Si la hubiera, entonces el Águila esperaría dos travesuras. La última vez que usaron una pretravesura fue... en... ah, sí, 1987. Mientras la pretravesura fue cortar la electricidad a la escuela, la travesura real fue poner quinientos grillos vivos en las tuberías de la calefacción de los salones de clase. A veces aún puedes oír el chirriar de esos grillos.

—La manera como memorizas es, como decirlo, una costumbre tan impresionante —dije.

—Ustedes son como una pareja de ancianos casados —Alaska sonrió—. Son inquietantes.

—Y no has visto ni la mitad —dijo el Coronel—. Debías de verlo cuando intenta meterse en mi cama a la mitad de la noche.

—¡Oye!

—¡Volvamos al tema! —dijo Alaska—. Pretravesura. Este fin de semana, ya que hay luna nueva, nos quedaremos en el granero. Tú, el Coronel, Takumi, yo misma y, como regalo especial para ti, Gordo, Lara Buterskaya.

—¿La Lara Buterskaya sobre la cual vomité?

—Ella es tímida. Todavía le gustas —Alaska se rio—. Vomitar te hizo lucir... vulnerable.

—Lara, la de las tetas muy paraditas —dijo el Coronel—. ¿A Takumi lo traes para mí?

—Necesitas estar solo un tiempo.

—Cierto —asintió el Coronel.

—Sólo pasa algunos meses más clavado en los videojuegos —me comentó Alaska—. Esa coordinación mano-ojo vendrá al caso cuando llegues a "tercera base".

—Vaya, hace tanto tiempo que no oía lo del sistema de bases que ya no me acuerdo cuál era tercera —respondió el Coronel—. Te miraría con ansias, pero no puedo darme el lujo de alejar la vista de la pantalla.

—Besar, tocar, fajar y coger. Es como si te hubieras saltado el tercer grado —dijo Alaska.

—Sí me salté el tercer grado —respondió el Coronel.

—¿Cuál es entonces nuestra pretravesura? —volví a preguntar.

—El Coronel y yo la descifraremos. No es necesario que te metas en problemas... todavía.

—Ah. Me parece bien. Mmm. Entonces, voy a fumarme un cigarro.

Me fui. No era la primera vez que Alaska me dejaba fuera del juego, claro está, pero después de que habíamos pasado tanto tiempo juntos durante las vacaciones de Acción de Gracias, consideraba ridículo que planeara la travesura con el Coronel, pero sin mí. ¿De quién eran las camisetas empapadas con sus lágrimas? Mías. ¿Quién la había escuchado leer a Vonnegut? Yo. ¿Quién había sido el blanco del peor chiste de *toc-toc*? Yo. Caminé a la tienda Sunny Convenience Kiosk que estaba frente a la escuela y fumé. Esto nunca me sucedió en Florida, esta ansiedad tan de prepa sobre quién se lleva mejor con quién, y me odiaba a mí mismo por dejar que sucediera ahora. "No tienes que quererla", me dije a mí mismo. "Al diablo con ella."

CUATRO DÍAS ANTES

El Coronel no me quiso decir una sola palabra sobre la pretravesura, tan sólo que se llamaría "Noche del granero", y que cuando empacara, debía hacerlo para dos días.

Lunes, martes y miércoles fueron tortura. El Coronel estaba siempre con Alaska y yo no estaba invitado. Así que pasé un tiempo exagerado estudiando para los exámenes finales, lo que ayudó considerablemente a mi promedio general de aprovechamiento. Y por fin terminé mi ensayo de Religión.

Mi respuesta a la pregunta era lo suficientemente directa, en realidad. La mayoría de los cristianos y los musulmanes cree en un cielo y un infierno, aun cuando hay mucho desacuerdo entre ambas religiones sobre lo que te llevará, con exactitud, a una vida después de la vida o a otra parte. Los budistas son más complicados, debido a la doctrina de Buda de *anatta*, que básicamente expone que las personas no tienen un alma eterna. En vez de ello, cuentan con un montón de energía que es transitoria y migra de un cuerpo a otro, reencarnando sin fin hasta alcanzar algún día la iluminación.

Nunca me ha gustado escribir párrafos concluyentes para los ensayos, en donde tan sólo repites lo que ya dijiste con frases como *En resumen* y *Para concluir*. No hice nada de eso; en vez de ello, hablé sobre por qué consideraba que era una pregunta importante. "Las personas querían seguridad", pensé. No podían soportar la idea de que la muerte fuera un gran vacío oscuro, no soportaban pensar que sus seres amados ya no existieran y ni siquiera se podían imaginar a ellos mismos fuera de la existencia. Finalmente, concluí que las personas creían en una vida después de la vida porque no soportaban no hacerlo.

TRES DÍAS ANTES

El viernes, después de un examen de Precálculo sorprendentemente exitoso con el que cerré mi primera ronda de exámenes finales en Culver Creek, empaqué mi ropa y mi bolsa de dormir en una mochila ("piensa en la moda en Nueva York —aconsejó el Coronel—. Piensa en negro. Piensa con sentido común. Que sea algo cómodo, pero abrigador"), recogimos a Takumi en su habitación y caminamos hasta la casa del Águila. El Águila traía puesto el que parecía ser su único traje, y yo me preguntaba si no tendría treinta camisas blancas idénticas y treinta corbatas negras idénticas en su clóset. Me lo imaginaba al levantarse por la mañana, mientras miraba fijamente el clóset y pensaba: "Mmm... mmm... ¿qué tal una camisa blanca y una corbata negra?". A este tipo sí que le hacía falta una esposa.

—Me llevo a Miles y a Takumi a casa para pasar el fin de semana en New Hope —le dijo el Coronel.

—¿Tanto le gustó a Miles lo que probó de New Hope? —me preguntó el Águila.

—¡Ajúa! ¡Habrá contradanza en el parque de tráileres! —dijo el Coronel. De hecho, podía tener un acento sureño cuando se lo proponía aunque, como casi todos en Culver Creek, por lo general no lo utilizaba.

—Espera un momento mientras llamo a tu mamá —le dijo el Águila al Coronel.

Takumi me miró con un pánico mal disimulado y yo sentí cómo el almuerzo (pollo frito) se me subía por el estómago. Pero el Coronel sólo sonrió.

—Sí, claro.

—¿Chip, Miles y Takumi estarán en su casa este fin de semana...? Sí, señora... ¡Ja!... Está bien. Hasta luego —el Águila miró al Coronel—. Tu mamá es maravillosa —el Águila sonrió.

—Dígamelo a mí —el Coronel sonrió de oreja a oreja—. Nos vemos el domingo.

Conforme caminábamos hacia el estacionamiento del gimnasio, el Coronel nos dijo:

—La llamé ayer y le pedí que me encubriera; ni siquiera preguntó por qué. Sólo dijo: "Seguro, hijo, confío en ti", y vaya que lo hace.

Una vez fuera de la vista de la casa del Águila, dimos vuelta a la derecha hacia el bosque.

Caminamos por el sendero de tierra sobre el puente y de vuelta al granero de la escuela, una estructura dilapidada, propensa a las goteras que parecía más una cabaña de troncos abandonada hacía años que un granero. Aún se guardaba paja allí, aunque no sé para qué. No era como si tuviéramos un programa ecuestre ni ninguna otra cosa. El Coronel, Takumi y yo llegamos primero, y abrimos nuestras bolsas de dormir sobre los fardos de paja más suaves. Eran las 18:30 horas.

Alaska llegó poco después; le había dicho al Águila que iba a pasar el fin de semana con Jake. El Águila no corroboró esa historia, porque Alaska pasaba cuando menos un fin de semana al mes con Jake y sabía que a sus padres les daba lo mismo. Lara se apareció media hora después. Le dijo al Águila que se iba en coche a Atlanta para ver a un viejo amigo de Rumania. El Águila llamó a los padres de Lara para asegurarse de que supieran que ella pasaría un fin de semana fuera de la escuela, pero eso a ellos no les importó.

—Confían en mí —sonrió.

—A veces no se escucha tu acento —dije, lo que era bastante tonto pero mil veces mejor que vomitarle encima.

—Son sólo las íes suaves.

—¿No hay íes suaves en ruso?

—Rumano —me corrigió Lara. Resulta que el rumano es un idioma.

¿Quién iba a saber eso?

Mi cociente cultural tendría que incrementarse de manera drástica si quería compartir una bolsa de dormir con Lara en los próximos días.

Todos estaban sentados sobre las bolsas de dormir. Alaska fumaba con gran descuido para la inflamabilidad extrema de la estructura, cuando el Coronel sacó una sola hoja de papel de computadora y leyó:

"Las festividades de esta noche son para demostrar, de una vez por todas, que nosotros somos para las travesuras lo que los Guerreros Semaneros son para las mamadas. Pero también tenemos la oportunidad de hacerle la vida desagradable al Águila, lo que siempre es un placer bienvenido. Así pues —dijo, haciendo una pausa como en espera de un redoble de tambor—, esta noche peleamos una batalla en tres frentes:

"Frente uno. La pretravesura: encenderemos, como quien dice, una fogata bajo el trasero del Águila.

"Frente dos. Operación Calvito: en la que Lara vuela sola en una misión de carácter vengativo, tan elegante y cruel que únicamente podría haber sido ideada por mí, claro está."

—¡Oye! —lo interrumpió Alaska—, la idea fue mía.

—Está bien. La idea fue de Alaska —se rio—. Finalmente: "Frente tres. Los reportes de progreso: nos meteremos en la Red de computación del profesorado y utilizaremos la base de datos donde almacenan las calificaciones para enviarle cartas a las familias de Kevin *et al.*, en las que les informaremos que están reprobando algunas materias."

—Definitivamente nos van a expulsar —dije.

—Espero que no hayan traído al chico asiático pensando que es un genio computacional, porque no lo soy —acotó Takumi.

—No nos van a expulsar y yo soy el genio de la computadora. El resto de ustedes son músculo y distracción. No nos van a expulsar incluso si nos atrapan, porque no hay ofensas aquí merecedoras de una expulsión. Bueno, excepto las cinco botellas de Strawberry Hill en la mochila de Alaska, y eso estará bien oculto. Sólo estamos, ustedes saben, haciendo un poco de ruido.

El plan estaba trazado y no dejaba espacio para errores. El Coronel dependía a tal grado de la sincronía perfecta que si uno de nosotros se equivocaba, aunque fuera un poquito, todo el plan se vendría abajo por completo.

Él había impreso itinerarios individuales para cada uno de nosotros, donde incluía tiempos exactos hasta en segundos. Con los relojes sincronizados, la ropa negra, las mochilas sobre nuestras espaldas, nuestra respiración visible en el frío, nuestras mentes atiborradas de los nimios detalles del plan y los corazones a toda velocidad, salimos del granero todos juntos una vez que oscureció por completo, como a las siete. Los cinco caminábamos con confianza en fila; nunca me sentí más *cool*. El Gran quizá estaba sobre nosotros y éramos invencibles. El plan podía tener fallas, pero nosotros no.

Después de cinco minutos, nos dividimos para dirigirnos a nuestros destinos. Yo me fui con Takumi. Nosotros éramos la distracción.

—Somos los malditos infantes de marina —dijo.

—Los primeros en luchar. Los primeros en morir —concordé, nervioso.

—¡Diablos!, sí.

Se detuvo y abrió su bolsa.

—Aquí no, bróder —dije—. Tenemos que ir con el Águila.

—Lo sé. Lo sé. Sólo... espera —sacó una cinta gruesa para la cabeza. Era café, con una cabeza afelpada de zorro al frente. La puso sobre la suya. Me reí.

—¿Qué diablos es eso?

—Es mi gorro de zorro.

—¿Tu gorro de zorro?

—Sí, Gordo. Mi gorro de zorro.

—¿Y por qué traes tu gorro de zorro?

—Porque nadie puede atrapar al condenado Zorro.

Dos minutos después, estábamos agachados detrás de los árboles a quince metros de la puerta trasera del Águila. Mi corazón latía con un ritmo de tambor tecno.

—Treinta segundos —susurró Takumi, y yo sentí el mismo susto nervioso que había sentido esa primera noche con Alaska, cuando me tomó de la mano y susurró "corre, corre, corre, corre, corre". Pero permanecí en mi lugar.

Pensé: "No estamos lo suficientemente cerca". Pensé: "No los va a oír". Pensé: "Los oirá y saldrá tan rápido que no tendremos ninguna oportunidad". Pensé: "Veinte segundos". Yo respiraba fuerte y rápido.

—Oye, Gordo —susurró Takumi—, tú puedes hacer esto, bróder. Sólo se trata de correr.

—Cierto. "Sólo correr. Mis piernas son buenas. Mis pulmones están bien. Es sólo correr."

—Cinco. Cuatro. Tres. Dos. Uno. ¡Enciéndelo! ¡Enciéndelo! ¡Enciéndelo! —dijo.

Se encendió con un chirrido que me recordó cada celebración de la Independencia con mi familia. Permanecimos quietos una milésima de segundo, contemplando la mecha, asegurándonos de que estuviera encendida. "Ahora", pensé. "Ahora. Corre, corre, corre, corre, corre, corre." Pero mi cuerpo no se movió hasta que oí a Takumi gritar en susurro:

—Ve, ve, ve, maldita sea, ve.

Y fuimos.

Tres segundos después, un gran estallido de cohetes. Me sonaba como los disparos automáticos en *Decapitation*, incluso más fuerte. Estábamos ya a veinte pasos de distancia y pensé que mis tímpanos iban a estallar.

Pensé: "Bueno, pues ciertamente los oirá".

Corrimos más allá del campo de futbol y hacia el bosque, cuesta arriba y con muy poco sentido de orientación. En la oscuridad, las ramas caídas y las rocas cubiertas de líquenes aparecían en el último segundo posible y yo me resbalaba, caía una y otra vez y me preocupaba por que el Águila nos fuera a alcanzar, pero yo me levantaba y corría junto a Takumi, lejos de los salones de clase y del círculo de dormitorios. Corrimos como si tuviéramos zapatos alados. Yo corrí como un leopardo, bueno, como un leopardo que fumara mucho. Luego, justo un minuto después de empezar a correr, Takumi se detuvo y abrió a toda carrera su mochila.

Era mi turno de hacer el conteo. Miré mi reloj, aterrado. Para ahora, ya estaba afuera. Seguramente vendría corriendo. Me pregunté si sería rápido. Era viejo, pero estaría enojado.

—Cinco, cuatro, tres, dos, uno —y el chirrido. No hicimos pausa esa vez, sólo corrimos, todavía más hacia el oeste. Sofocado, me pregunté si podría hacer eso en treinta minutos. Los fuegos artificiales explotaron.

Los estallidos pararon y una voz gritó: "¡Deténganse ahora mismo!" Pero no nos detuvimos. Detenerse no era parte del plan.

—Soy el Zorro, hijo de su madre —susurró Takumi tanto para sí como para mí—. Nadie puede atrapar al Zorro.

Un minuto después, estaba yo en el suelo. Takumi contaba. La mecha se encendió. Corrimos.

Pero el cohete no estalló. Nos habíamos preparado para que sucediera algo así y llevamos una serie adicional. Otro más, sin embargo, le costaría al Coronel y a Alaska un minuto. Takumi se agachó, encendió la mecha y corrió. Empezaron los tronidos. Los fuegos artificiales hicieron *bangbangbang* en sincronía con el latido de mi corazón.

Cuando terminaron, oí: "¡Alto o llamo a la policía!" Y aun cuando la voz se oía distante, podía sentir la "mirada de la perdición" sobre mí.

—Soy demasiado rápido; los cerdos no pueden detener al Zorro —se dijo Takumi a sí mismo—. Soy tan hábil que puedo hacer rimas mientras corro.

El Coronel nos advirtió sobre la amenaza de la policía; nos dijo que no nos preocupara. Al Águila no le gustaba traer a la policía a los terrenos de la escuela. Era mala publicidad. Así que corrimos. Sobre, abajo y entre todo tipo de árboles, arbustos y ramas. Caímos. Nos levantamos. Corrimos. Si no nos podía seguir con los cohetes, con toda seguridad podía seguir el sonido de nuestros *carajos* susurrados al tiempo que nos tropezábamos con troncos muertos y caíamos en arbustos espinosos.

Un minuto. Me arrodillé, encendí la mecha, corrí. *Bang.*

Luego nos volvimos hacia el norte, pensando que habíamos pasado el lago. Esto era clave para el plan. Mientras más lejos nos fuéramos, pero permaneciendo dentro de los terrenos de la escuela, más lejos nos seguiría el Águila. Mientras más lejos nos siguiera, más lejos estaría de los salones de clase, en donde el Coronel y Alaska llevaban a cabo su magia. Luego planeábamos dar una vuelta para regresar cerca de los salones de clase y doblar hacia el este, junto al arroyo, hasta llegar al puente sobre nuestro Agujero para fumar, en donde retomaríamos el camino y andaríamos de regreso al granero, triunfantes. Pero he aquí que cometimos un pequeño error de navegación. No habíamos pasado el lago; en vez de ello, estábamos contemplando un campo y luego el lago. Demasiado cercano a los salones de clase para correr hacia otro lado que no fuera el frente del lago. Miré a Takumi que corría junto a mí paso a paso y sólo dijo:

—Suelta uno ahora.

Así que me agaché, encendí la mecha y corrimos. Estábamos corriendo en un claro ahora y, si el Águila estaba detrás de nosotros, podría vernos. Llegamos al rincón sur del lago y comenzamos a correr junto a la orilla. El lago no era tan grande, quizá tenía menos de cuatrocientos metros de largo, así que no nos faltaba mucho cuando lo vi.

El cisne.

Nadaba hacia nosotros como poseído. Aleteaba furioso mientras se nos acercaba. Luego, en la orilla frente a nosotros, hacía un ruido que no sonaba como nada conocido, todos los quejidos de un conejo moribundo, más los peores lloriqueos de un bebé, y no había hacia dónde hacerse. Así que corrimos. Yo golpeé al cisne a toda carrera y sentí que me mordía el trasero. Luego corrí cojeando notoriamente, porque el trasero se me estaba incendiando, y pensé: "¿Qué fregados tiene la saliva de los cisnes que arde tanto?".

El vigesimotercer cohete no estalló, lo que nos costó un minuto más. Para entonces, yo sí quería tomarme un minuto. Me sentía morir. La sensación de ardor en mi nalga izquierda se había convertido en un dolor intenso, magnificado cada vez que apoyaba mi pierna izquierda, así que era como una gacela lesionada que intentaba evadir una manada de leones. Nuestra velocidad, sobra decirlo, se había reducido de manera considerable. No habíamos oído al Águila desde que atravesamos el lago, pero no creo que se hubiera regresado. Estaba intentando convencernos de que todo estaba bien, pero no caeríamos en su trampa. Esta noche éramos invencibles.

Exhaustos, nos detuvimos con los tres cohetes que nos quedaban y esperábamos que le hubiéramos dado al Coronel suficiente tiempo. Corrimos unos minutos más, hasta que encontramos la orilla del arroyo. Estaba tan oscuro y quieto que la diminuta corriente de agua parecía rugir, pero aun así podía oír nuestras respiraciones fuertes, rápidas, al desfallecer sobre el barro húmedo y las piedritas junto al arroyo. Sólo después de detenernos miré a Takumi. Su rostro y sus brazos estaban arañados, la cabeza del zorro colgaba directamente sobre su oreja izquierda. Al mirar mis brazos, observé que goteaba sangre de las cortadas más profundas. Había, recordé, algunos sitios con arbustos espinosos tremendos, pero no sentía ningún dolor.

Takumi se sacó varias espinas de la pierna.

—El Zorro está tremendamente cansado —dijo, y se rio.

—El cisne me mordió el trasero.

—Lo vi —sonrió—. ¿Estás sangrando? —metí la mano dentro de los pantalones para corroborarlo. No había sangre, así que fumé para celebrar.

—Misión cumplida —dije.

—Gordo, amigo mío, somos superchingonindestructibles.

No podíamos saber en dónde estábamos, porque el arroyo se hacía tan sinuoso dentro de los terrenos de la escuela que lo seguimos como diez minutos, calculando que caminábamos la mitad de rápido de lo que habíamos corrido. Luego dimos vuelta a la izquierda.

—¿Crees que sea a la izquierda? —preguntó Takumi.

—Estoy bastante perdido.

—El zorro señala a la izquierda. Así que a la izquierda —y sí, sin duda, el zorro nos regresó al granero.

—¡Están bien! —exclamó Lara cuando entramos—. Estaba preocupada. Vi al Águila salir corriiiendo de su casa. En piyama. Y vaya que se veía enojado.

—Bueno, si estaba enojado entonces, no lo querría ver ahora —le contesté.

—¿Qué les llevó tanto tiempo? —me preguntó.

—Tomamos la larga ruta a casa —explicó Takumi—. Además, el Gordo camina como una viejecita con hemorroides, porque el cisne le mordió el trasero. ¿Dónde están Alaska y el Coronel?

—No lo sé —dijo Lara, y en seguida oímos pasos en la distancia, murmullos y ramas quebrarse. En un instante, Takumi había tomado las bolsas de dormir y las mochilas y las había escondido detrás de fardos de paja. Los tres corrimos a la parte de atrás del granero, hacia los pastos altos, y nos tiramos al suelo. "Nos siguió hasta el granero", pensé. "Lo echamos todo a perder."

Pero luego oí la voz del Coronel, clara y muy molesta, que decía:

—¡Porque reduce la lista de posibles sospechosos a veintitrés! ¿Por qué no podías seguir el plan? ¿Dónde están todos?

Regresamos al granero, un poco avergonzados por haber reaccionado de esa manera. El Coronel se sentó en un fardo de paja, con los codos en las rodillas, la cabeza inclinada, las palmas contra la frente, pensando.

—Bueno, todavía no nos atrapan, de cualquier manera. Bueno, primero —dijo, sin mirar arriba—, díganme que todo salió bien. ¿Lara?

Ella empezó a hablar.

—Sí, estuvo bien.

—¿Me puedes dar más detalles?

—Hiiice como decían tus indicaciones. Me quedé atrás de la casa del Águila hasta que lo viii salir corriiiendo tras Miles y Takumi; luego corrí detrás de los dormitorios, me metiií por la ventana a la habiiitación de Keviiin, puse la sustancia en el gel y en el acondiicionador, y después hiice lo mismo en la habiitación de Jeff y Longwell.

—¿Qué sustancia? —pregunté.

—Tinte para cabello del número cinco color azul sin diluir, de uso industrial —dijo Alaska—, lo compré con el dinero con el que me compraste los cigarros. Aplícalo al cabello mojado y no te lo quitarás de encima en cuatro meses.

—¿Les teñimos el pelo de azul?

—Pues, técnicamente —dijo el Coronel, todavía hablándole a su regazo— ellos se teñirán su propio pelo de azul. Y se los facilitamos. Sé que a ti y a Takumi les fue bien, porque están aquí y nosotros estamos aquí, así que hicieron su trabajo. Y la buena noticia es que a los tres imbéciles que tuvieron las agallas de hacernos una jugarreta les llegarán sus reportes de calificaciones en los que se les informará que están reprobando tres materias.

—Ah, ¿y cuál es la mala noticia? —preguntó Lara.

—Ay, no seas así —dijo Alaska—. La otra buena noticia es que, mientras el Coronel estaba preocupado porque había oído algo y corrió hacia el bosque, yo me encargué de que a veinte Guerreros Semaneros más también les llegue próximamente un reporte de progreso. Imprimí los reportes para todos ellos, los metí en sobres membretados de la escuela y los eché al buzón.

Se volteó hacia el Coronel.

—Te tardaste mucho —dijo—. El pequeño Coronel: tan preocupado de que lo expulsen.

El Coronel se puso de pie; parecía muy alto mientras todos los demás estábamos sentados.

—¡Ésas no son buenas noticias! ¡Ése no era el plan! Eso significa que hay veintitrés personas que el Águila puede eliminar como sospechosos. ¡Veintitrés personas que pueden dilucidar que fuimos nosotros y delatarnos!

—Si eso sucede —dijo Alaska, con mucha seriedad— yo asumiré la culpa.

—Sí —suspiró el Coronel—, como la asumiste con Paul y Marya. ¿Dirás que mientras andabas cascabeleando por el bosque encendiendo cohetes al mismo tiempo estabas metiéndote en la Red de computación de los profesores e imprimiendo reportes de progreso falsos en papel membretado de la escuela? Porque, ¡estoy seguro de que el Águila te lo va a creer tal cual!

—Relájate, bróder —dijo Takumi—. Primero que nada, no nos van a atrapar. Segundo, si lo hacen, yo lo asumo junto con Alaska. Tú tienes más que perder que cualquiera de nosotros.

El Coronel sólo asintió con la cabeza.

Era un hecho innegable: el Coronel no tendría ninguna oportunidad de obtener una beca en una buena escuela si lo expulsaban del Creek.

Sabiendo que nada animaba más al Coronel que reconocer su inteligencia, le pregunté:

—Entonces, ¿cómo te metiste en la Red?

—Me trepé por la ventana de la oficina del doctor Hyde, eché a andar su computadora y tecleé su contraseña —contó, sonriendo.

—¿La adivinaste?

—No. El martes entré a su oficina y le pedí que me imprimiera una copia de la lista de lecturas recomendadas. Lo observé teclear la contraseña *J3ckylnhyd3*.

—Pues, vaya —dijo Takumi—, yo podría haber hecho eso.

—Cierto, pero entonces no te habría tocado ponerte ese gorro tan *sexy* —dijo el Coronel, riéndose. Takumi se lo quitó y lo guardó en su mochila.

—Kevin se va a encabronar con lo del pelo —dije.

—Sí, bueno, como yo estoy encabronada con mi biblioteca inundada. Kevin es un muñeco inflable —dijo Alaska—. Si nos pican, sangramos. Si lo picas a él, se desinfla.

—Es cierto —dijo Takumi—. El tipo es un estúpido. Sí, después de todo, medio trató de matarte.

—Sí, supongo —reconocí.

—Aquí hay muchas personas así —continuó Alaska, aún molesta—. ¿Saben? Chicos ricos como malditos muñecos inflables.

Pero aun cuando Kevin había intentado medio matarme y todo, en realidad no me parecía que valiera la pena odiarlo. Odiar a los "niños bien" gasta un montón de energía y yo había abandonado esa lucha hacía mucho tiempo. Para mí, la travesura sólo era una respuesta a una travesura anterior, una oportunidad de oro, como dijo el Coronel, de provocar un poco de caos. Pero para Alaska parecía ser algo diferente, algo más.

Quería preguntarle más al respecto, pero se acostó detrás de los fardos de paja, invisible de nuevo. Alaska había terminado de hablar, y una vez que lo había hecho, eso era todo. No logramos que saliera de ahí en dos horas, hasta que el Coronel abrió una botella de vino. Nos pasamos la botella hasta que lo pude sentir en mi panza, avinagrado y tibio.

Quería que el alcohol me gustara más de lo que me gustaba (que es más o menos lo opuesto de como me sentía por Alaska). Pero esa noche el alcohol se sentía fantástico, conforme el calor del vino se extendía por todo el cuerpo. No me gustaba sentirme tonto ni fuera de control, pero me agradaba la manera en que hacía que todo (reírse, llorar o hacer pipí frente a tus amigos) fuera más fácil. ¿Por qué bebíamos? Para mí, era por diversión, sobre todo porque nos arriesgábamos a que nos expulsaran. Lo bueno de la amenaza constante de expulsión en Culver Creek es que le imprimía emoción a cada momento de placer ilícito. Lo malo es, por supuesto, que siempre existía la posibilidad real de expulsión.

DOS DÍAS ANTES

Me desperté temprano a la mañana siguiente, con los labios secos y la respiración visible en el aire fresco. Takumi había traído una estufa de campamento en su mochila y el Coronel estaba encogido frente a ella, calentando café instantáneo. El sol brillaba, incapaz de combatir el frío, y yo me senté con el Coronel y bebí el café.

—Lo malo del café instantáneo es que huele muy bien pero sabe a bilis estomacal —dijo el Coronel.

Luego, uno por uno, Takumi, Lara y Alaska, despertaron, y pasamos el día escondiéndonos, pero en voz alta.

Esa tarde en el granero, Takumi decidió organizar un concurso de estilo libre de rap.

—Tú empiezas, Gordo —dijo Takumi—. Coronel Catástrofe, tú marcas el ritmo.

—Bróder, yo no sé hacer rap —les imploré.

—Está bien. El Coronel tampoco puede soltar ritmos. Prueba hacer algunas rimas y luego me lo pasas.

Con la mano rodeando la boca, el Coronel empezó a hacer ruidos absurdos que sonaban más como pedos que como ritmos de bajo, mientras yo, eh, rapeaba.

—*Mientras baja el sol, estoy en el granero.* / *Cuando yo era chico, me gustaba usar sombrero.* / *Mas no sé rimar, aunque yo quiero.* / *Por eso les dejo a Takumi, que es rapero.*

Takumi lo retomó sin hacer pausas:

—*Oye, Gordo, no sé si pueda hacerlo.* / *Esto es una pesadilla en* la calle del infierno. / *Como sabes, en las rimas soy muy listo,* / *pero anoche bebí hasta tener hipo.* / *Seguí el compás del Coronel, que tan mal suena.* / *Y esta vez las chicas no gritaron con histeria.* / *Represento a Birmingham tan bien como a Japón,* / *pero cuando era niño, me llamaban el nipón.* / *Ser amarillo no me ha avergonzado* / *ni tampoco a esas loquitas que siempre me han rogado.*

Alaska le entró:

—*Acabas de ofender a las mujeres,* / *te daré tu merecido, al decirte lo que eres.* / *¿Acaso piensas que yo no sé rimar?,* / *pues mis palabras fluyen como agua del mar.* / *Sólo usa a las mujeres y yo te haré pedazos.* / *Quedarás hecho mierda a puros trancazos.*

Takumi lo retomó de nuevo:

—*Camarón que se duerme, se lo lleva la corriente. / Me acerco a una chica si es que me prende. / No sé lo que pasa: estas rimas no me gustan para nada. / Mejor, ¿qué les parece si ahora le entra Lara?*

Lara rimaba tranquila y nerviosa, con menos consideración que yo por el ritmo:

—*Yo me llamo Lara y soy de Rumania. / Esto es muy difícil, como ir a Albania. / Me encanta viajar en el coche de Alaska, / porque brinco y boto y el Gordo me rasca. / No pronuncio bien la vocal i, / pero mi acento suena sexy así. / Oye, Takumi, creo que ya esto es todo. / Termina este rap, que ya parece roto.*

Takumi entonces continua:

—*Cuando suelto bombas, como en Hiroshima / se enamoran de mí las chicas que me miran. / ¿Sabían que a mí me encanta tomar sake? / Por eso algunos piensan que soy de Nagasaki. / Yo no soy ningún mocoso. / Tampoco soy chaparro y mucho menos, musculoso. / Tampoco soy un palillo como el Gordo. Soy el Zorro / y nuestro ritmo libre ha dejado de sonar como un eructo.*

Y ya salimos.

El Coronel terminó el rap con su improvisada caja de ritmos y todos nos dimos un aplauso.

—Tú ganaste, Alaska —dijo Takumi, riendo.

—Hice lo que pude para representar a las damas. Lara me ayudó.

—Sí, así es.

Luego Alaska decidió que aun cuando no estaba bien oscuro todavía, era hora de beber hasta que no pudiéramos más.

—Dos noches de un jalón puede ser demasiado —dijo Takumi mientras Alaska abría el vino.

—La suerte es para los tontos —Alaska sonrió y se acercó la botella a los labios. Cenamos galletas saladas y un trozo de queso Cheddar que traía el Coronel. El tibio vino rosado de la botella, con el queso y las galletas saladas, formaron una buena cena.

Cuando se nos acabó el queso, hubo más espacio para Strawberry Hill.

—Tenemos que ir más despacio o volveré el estómago —señalé cuando nos acabamos la primera botella.

—Lo siento, Gordo. No me fijé que alguien te estaba agarrando por la garganta y manteniendo tu boca abierta mientras te vertían el vino por ella —respondió el Coronel, lanzándome una botella de refresco Mountain Dew.

—Es una obra caritativa llamar a este menjurje vino —rio Takumi.

Luego, como de la nada, Alaska anunció:

—¡Mejor día/peor día!

—¿Qué?

—Todos vamos a vomitar si sólo nos dedicamos a tomar. Así que bajaremos el ritmo con un juego para beber. ¡Mejor día/peor día!

—Nunca lo había oído mencionar —dijo el Coronel.

—Es porque lo acabo de inventar —sonrió.

Se acostó de lado sobre dos fardos de paja. La luz de la tarde abrillantaba el verde en sus ojos, su piel tostada como último recuerdo del otoño. Con la boca medio llena, se me ocurrió que seguramente ya estaría borracha cuando observé la mirada algo perdida en sus ojos. "La mirada fija de los novecientos metros de embriaguez", pensé, y al observarla con ociosa fascinación creí que yo también estaba, sí, un poco borracho.

—¡Qué divertido! ¿Cuáles son las reglas? —preguntó a su vez Lara.

—Todos cuentan la historia de su mejor día. El mejor narrador no tiene que beber. Luego, todos cuentan la historia de su peor día, y el mejor narrador no tiene que beber. Y así seguimos, segundo mejor día, segundo peor día, hasta que uno de ustedes se salga del juego.

—¿Cómo sabes que va a ser uno de nosotros?

—Porque yo soy la mejor bebedora y la mejor narradora —respondió. Es difícil estar en desacuerdo con esa lógica.

—Tú empiezas, Gordo. El mejor día de tu vida.

—Mmm. ¿Me dan un minuto para pensar en eso?

—No pudo haber sido tan bueno si lo tienes que pensar —dijo el Coronel.

—Jódete, bróder.

—Uy, qué delicado.

—El mejor día de mi vida fue hoy —dije—. Y la historia es que me desperté junto a una chica húngara muy bonita y hacía frío pero no tanto. Me tomé una taza de café instantáneo tibio y comí Cheerios sin leche. Luego caminé por el bosque con Alaska y Takumi. Brincamos por las piedras en el arroyo, que suena tonto pero no lo es. No lo sé. ¿Ven la manera en que está el sol ahora, con las sombras largas y ese tipo de luz suave, brillante, que aparece cuando el sol todavía no se pone? Ésa es la luz que hace que todo sea mejor, más bonito, y hoy, todo parecía estar en esa luz. Digo, no hice nada. Pero aquí sentado, incluso si sólo estoy viendo al Coronel tallando pedazos de madera, o lo que sea. Lo que sea. Gran día. Hoy. El mejor día de mi vida.

—¿Piensas que soy bonita? —dijo Lara y se rio, tímida. "Sería bueno hacer contacto visual con ella ahora, pero no puedo", pensé—. ¡Y soy rumana!

—Esa historia terminó siendo bastante mejor de lo que pensé que sería —dijo Alaska—, pero de todos modos te voy a ganar.

—Adelante, chica —dije. Empezó a soplar una brisa, el pasto alto de afuera se inclinaba lejos del granero y yo jalé mi bolsa de dormir sobre los hombros para permanecer tibio.

—El mejor día de mi vida fue el 9 de enero de 1997. Tenía ocho años y mi mamá y yo fuimos al zoológico en una excursión escolar. Me gustaron los osos. A ella le gustaron los monos. El mejor día de todos. Fin de la historia.

—¿Eso es todo? ¡Ése es el mejor día de tu vida! —dijo el Coronel.

—Ajá.

—Me gustó —dijo Lara—. A mí también me gustan los monos.

—Qué tonto —dijo el Coronel.

Yo no pensé que fuera tonto sino otro ejemplo de la vaguedad intencional de Alaska, otro ejemplo de su manera de profundizar en su propio misterio. Pero aun así, aun sabiendo que era intencional, no podía sino preguntarme: "¿Qué tiene de maravilloso el zoológico?". Pero, antes de que pudiera preguntar, Lara habló.

—Bien, me toca —dijo Lara—. Es fácil. El día que llegué aquí. Yo sabíia inglés y mis papás no. Nos bajamos del aviión y mis parientes estaban aquí; tíos y tías que nunca había visto, en el aeropuerto, y mis papás estaban felices. Yo teníia doce años y siiempre habíia sido la chiiquita, pero ése fue el primer díia que mis papás me necesitaron y me trataron como un adulto. Porque no conocíian el idiioma, ¿síi? Me necesitaban para pedir comiida, para traducir formularios de impuestos e inmiigración y todo lo demás, y ése fue el díia en que dejaron de tratarme como una niiña. También, en Rumania éramos pobres y aquí, somos medio riicos —se rio.

—Está bien —Takumi sonrió, tomando la botella de vino—. Yo pierdo. Porque el mejor día de mi vida fue cuando perdí mi virginidad. Y si creen que les voy a contar esa historia, van a tener que emborracharme más que esto.

—No está mal —dijo el Coronel—. No está mal. ¿Quieren saber cuál fue mi mejor día?

—De eso se trata el juego, Chip —respondió Alaska, claramente molesta.

—El mejor día de mi vida todavía no ocurre. Pero ya sé cuál es. Lo veo todos los días. El mejor día de mi vida es el día cuando le compre a mi mamá una casa enorme, enorme. Y no sólo en el bosque, sino en medio de Mountain Brook, donde están todos los padres de los Guerreros Semaneros. Con todos los padres. Y no la voy a comprar con una hipoteca. Voy a pagarla en efectivo.

Y voy a conducir a mi mamá ahí y a abrirle la puerta del coche, y saldrá y mirará la casa, con su cerca de estacas puntiagudas, y será de dos pisos y todo, ya saben. Y le voy a dar las llaves de su casa y le diré: "Gracias". ¡Hombre!, ella me ayudó a llenar mi solicitud para entrar a este lugar. Me dejó venir aquí y eso no es fácil de hacer cuando uno viene de donde venimos nosotros, eso de dejar que tu hijo se vaya a una escuela lejos. Así que ése es el mejor día de mi vida.

Takumi alzó la botella, la inclinó y dio varios tragos. Luego me la pasó. Yo bebí, también Lara y después, Alaska echó la cabeza para atrás y puso la botella al revés, bebiéndose el último cuarto de lo que quedaba.

Al abrir la siguiente botella, Alaska le sonrió al Coronel.

—Ganaste esa ronda. Ahora, ¿cuál es tu peor día?

—El peor día fue cuando se fue mi papá. Él es viejo, debe tener como setenta años ahora, y ya era viejo cuando se casó con mi mamá. De todas maneras, la engañó. Ella lo cachó y se enojó, así que él la golpeó. Entonces ella lo corrió de la casa y él se fue. Yo estaba aquí y mi mamá me llamó; no me contó toda la historia con lo del engaño y todo ni que la había golpeado, sino hasta después. Ella sólo me dijo que él se había ido y no iba a volver. Nunca lo he vuelto a ver desde entonces. Ese día, me quedé esperando a que me llamara y me explicara todo, pero nunca lo hizo. Nunca volvió a llamar para nada. Esperaba por lo menos que dijera adiós o algo así. Ése fue el peor día.

—Chin, me volviste a ganar —dije—. Mi peor día fue en séptimo grado, cuando Tommy Hewitt se orinó en mi ropa de gimnasia y el profesor dijo que tenía que usar mi uniforme o me reprobaría. Gimnasia en séptimo grado, ¿no? Hay cosas peores que reprobar. Pero en ese entonces me importaba mucho, y yo estaba llorando y tratando de explicarle al profesor lo que había sucedido, pero era muy vergonzoso y él gritó, gritó y gritó hasta que me puse el *short* y la camiseta empapados en orina. Ese día dejó de importarme lo que la gente hiciera. A partir de allí ya nunca más me importó, ni ser un perdedor ni carecer de amigos ni nada de eso. Así que supongo que fue bueno por ese lado, sin embargo, ese momento fue horroroso. Digo, imagínenme jugando voleibol o lo que fuera con el uniforme de gimnasia empapado en orines, mientras Tommy Hewitt le decía a todos lo que había hecho. Ése fue el peor día.

—Lo siento, Miles —me decía Lara entre risas.

—Está bien —dije—. Ahora sólo cuéntame el tuyo para que yo me pueda reír de tu dolor —sonreí y nos reímos juntos.

—Mii peor día probablemente fue el mismo que el mejor. Porque dejé todo. Diigo, suena tonto, pero mii niiñez, también la dejé, porque la mayoría de los niiños de doce años no tienen que saber descifrar formularios W-2.

—¿Qué es un formulario W-2? —le pregunté.

—Exacto. Es para los impuestos. Asií que, fue el miismo díia.

"Lara siempre había necesitado hablar por sus padres y quizá nunca había aprendido a hablar por ella misma", pensé. Yo tampoco era muy bueno para eso de hablar por mí mismo. Teníamos algo importante en común, entonces, un aspecto singular de la personalidad que no compartía ni con Alaska ni con nadie más, aunque casi por definición Lara y yo no podíamos expresarlo el uno al otro. Así que quizá era sólo la manera en que el sol, que aún no se ponía, brillaba contra sus rizos oscuros, perezosos, pero en ese momento quería besarla y no necesitábamos hablar para besarnos, y el vómito en sus pantalones de mezclilla y los meses en que nos evitamos mutuamente se desvanecieron.

—Te toca, Takumi.

—El peor día de mi vida —dijo Takumi— fue el 9 de junio de 2000. Mi abuela murió en Japón. Murió en un accidente automovilístico y se suponía que yo iría a verla dos días después. Iba a pasar todo el verano con ella y con mi abuelo, pero en vez de ello, fui a su funeral y la única vez que en realidad la vi, aparte de en fotografías, fue allí. Tuvo uno budista, y la cremaron, pero antes de eso estaba sobre una... bueno, no era tanto budista. Digo, digo, la religión es complicada allá, así que es un poco budista y un poco shinto, pero a ustedes les da lo mismo. Bueno, el caso es que estaba sobre una... como una pira funeraria o lo que sea. Y ésa fue la única vez que la vi, justo antes de que la quemaran. Ése fue el peor día.

El Coronel encendió un cigarrillo, me lo lanzó y encendió otro para él. Era misteriosa la manera por la que siempre sabía cuándo yo quería un cigarro. Sí, éramos como una vieja pareja de casados. Por un momento, pensé: "Es enormemente tonto aventar cigarros encendidos en un granero lleno de paja", pero luego pasó el momento de precaución y tan sólo hice un esfuerzo sincero de no lanzar cenizas donde había paja.

—No hay un ganador claro todavía —dijo el Coronel—. El campo está bien abierto. Tu turno, amiga.

Alaska se recostó, con las manos entrelazadas detrás de la cabeza. Hablaba suave y rápidamente, pero el día silencioso se estaba convirtiendo en una noche más silenciosa, sin bichos por la llegada del invierno, así que podíamos verla con claridad.

—El día siguiente al que mi mamá me llevó al zoológico en donde a ella le gustaron los monos y a mí los osos, era viernes. Yo llegué a casa de la escuela. Ella me abrazó y me dijo que me fuera a hacer la tarea a mi cuarto para que después pudiera ver la televisión. Yo me metí en mi cuarto y ella se sentó frente a la mesa de la cocina, supongo. Luego gritó y yo corrí y vi que se había caído. Estaba tirada en el piso, deteniéndose la cabeza y sacudiéndose. Yo enloquecí. Debí haber llamado a urgencias, pero empecé a gritar y a llorar hasta que dejó de sacudirse y pensé que se había quedado dormida y que lo que le dolía le había dejado de doler. Entonces me quedé sentada ahí en el suelo con ella, hasta que mi papá llegó a casa una hora más tarde y me empezó a gritar: "¿Por qué no llamaste a urgencias?" y a tratar de darle respiración de boca a boca, pero para entonces ya estaba más que muerta. Aneurisma. El peor día. Yo gano. Ustedes beben.

Así que bebimos.

Nadie habló durante un minuto. Luego Takumi preguntó:

—¿Tu papá te culpó?

—Bueno, no después del primer momento. Pero sí, ¿cómo podía no hacerlo?

—Bueno, pues eras una niña pequeña —argumentó Takumi.

Yo estaba demasiado sorprendido e incómodo para hablar, intentando encajar esto en lo que sabía sobre la familia de Alaska. Su mamá le contó el chiste de *toc-toc* cuando Alaska tenía seis años. Su mamá solía fumar, pero ya no lo hacía, evidentemente.

—Sí, era una niña. Los niños pueden marcar a urgencias. Lo hacen todo el tiempo. Dame el vino —dijo, con la cara sin expresión, sin emoción. Bebió sin levantar la cabeza de la paja.

—Lo siento —dijo Takumi.

—¿Por qué nunca me dijiste? —preguntó el Coronel, con la voz suave.

—Nunca hubo oportunidad.

Luego dejamos de hacer preguntas. "¿Qué más puedes decir?", pensé.

En el largo silencio que siguió, al pasar el vino entre nosotros y emborracharnos lentamente, me puse a pensar en el presidente William McKinley, el tercer presidente norteamericano al que asesinaron. Vivió varios días después de que le dispararan y, hacia el final, su esposa empezó a gritar y a llorar: "¡Yo también me quiero ir! ¡Yo también me quiero ir!".

Y con lo que le quedaba de fuerza, McKinley se volvió hacia ella y pronunció sus últimas palabras: "Todos nos vamos".

Era el momento central de la vida de Alaska. Cuando lloraba y me decía que lo había arruinado todo, ahora sabía a lo que se refería. Y cuando decía que le había fallado a todos, ahora sabía a quién se refería. Era al todo y a todos en su vida, así que no pude sino imaginármelo: veía a una niña flacucha de ocho años con las uñas sucias, mirando a su madre convulsionarse. Luego se había sentado junto a su madre muerta o quizá todavía viva, a quien imagino que ya no respiraba, pero tampoco estaba fría. Y en ese lapso entre morirse y la muerte definitiva, una pequeña Alaska sentada con su madre en silencio. Después, en medio del silencio y mi embriaguez, tuve una visión breve de cómo debió haber estado. "Debió sentirse tan impotente", pensé, que lo único que podría haber hecho era tomar el teléfono y llamar a una ambulancia; ni siquiera se le ocurrió. Llega un momento en el que nos damos cuenta de que nuestros padres no se pueden salvar ellos mismos ni salvarnos a nosotros, que a todos los que navegan por el tiempo, tarde o temprano, la corriente los arrastra hacia el mar, y que, en pocas palabras, todos nos vamos.

Así que se volvió impulsiva; su temor a la inacción la llevó a la acción perpetua. Cuando el Águila la confrontó con la expulsión, tal vez lanzó de sopetón el nombre de Marya porque fue el primero que se le ocurrió, porque no quería que la expulsaran y no podía pensar más allá de ese momento. Tenía miedo, claro está, pero, más importante, quizá tuvo miedo de sentirse paralizada de nuevo por el temor.

"Todos nos vamos", le dijo McKinley a su esposa, y vaya que nos vamos. He ahí tu laberinto de sufrimiento. Todos nos vamos. Encuentra tu camino fuera de ese dédalo.

Nada de esto se lo dije en voz alta a ella. No lo hice entonces ni nunca. Nunca más dijimos una palabra sobre el tema. En vez de eso, se volvió sólo otro día peor, si bien, el peor del montón, y al caer la noche rápida, continuamos bebiendo y bromeando.

Más tarde, esa noche, después de que Alaska se metió el dedo por la boca hacia la garganta y se obligó a vomitar enfrente de todos porque estaba demasiado borracha para caminar al bosque, me acosté en mi bolsa de dormir. Lara estaba acostada junto a mí, en su bolsa, que casi tocaba la mía. Moví el brazo al borde de mi bolsa y la empujé de manera que se traslapara ligeramente con la de ella. Presioné mi mano contra la suya. Podía sentirla, aun cuando había dos bolsas de dormir entre nosotros. Mi plan, que de pronto pensé era muy ingenioso, era sacar el brazo de mi bolsa de dormir y meterlo en la de ella, para así tomarla de la mano. Era un buen plan, pero cuando de hecho intenté sacar el brazo de la bolsa de dormir, se sacudió como un pez fuera del agua y casi me disloco el hombro. Ella se reía, no conmigo sino de mí, pero seguíamos sin hablar. Habiendo pasado el punto sin retorno, deslicé de cualquier manera la mano a su bolsa de dormir y ella reprimió una risita mientras mis dedos trazaban una línea de su codo a su muñeca.

—Eso me hace cosquillas —susurró. Y yo que intentaba ser *sexy*.

—Lo siento —murmuré.

—No, es una cosquilla rica —dijo, y me tomó la mano. Entrecruzó sus dedos con los míos y apretó. Luego se dio la vuelta y me besó. Estoy seguro de que ella sabía a alcohol rancio, pero no lo noté; estoy seguro de que yo sabía a alcohol rancio y a cigarros, pero ella no lo notó. Nos estábamos besando.

Pensé: "Esto es bueno".

Pensé: "No soy malo en esto de besar. Para nada".

Pensé: "Sin duda soy el mejor besucón en la historia del universo".

De pronto, se rio y se apartó de mí. Sacó una mano fuera de la bolsa de dormir y se limpió la cara.

—Me babeaste la nariz —dijo, y se rio.

Yo me reí, también, tratando de darle la impresión de que mi estilo de besar babeando la nariz debía ser chistoso.

—Lo siento —si tomaba prestado el sistema de bases de Alaska, yo no había pasado de primera base más de cinco veces en la vida, por lo que mejor traté de atribuírselo a la falta de experiencia.

—Soy un poco nuevo en esto.

—Fue una bonita babeada —se rio y me volvió a besar.

Pronto estábamos totalmente fuera de las bolsas de dormir, besuqueándonos en silencio. Ella se acostó encima de mí y yo tomé su pequeña cintura en mis manos. Podía sentir sus senos contra mi pecho y ella se movía lentamente encima de mí, montándome con las piernas.

—Esto se siente bien.

—Tú eres hermosa —le sonreí.

En la oscuridad, podía distinguir el perfil de su cara y sus ojos grandes y redondos que parpadeaban hacia mí, sus pestañas casi aleteando contra mi frente.

—Las dos personas que se están besuqueando, ¿podrían hacerlo en silencio? —preguntó el Coronel en voz muy alta desde su bolsa de dormir—. Los que no estamos besuqueándonos estamos borrachos y cansados.

—Sobre todo... borrachos —dijo Alaska, lentamente, como si la pronunciación requiriera gran esfuerzo.

Lara y yo casi nunca habíamos hablado y tampoco tuvimos oportunidad de hacerlo ahora, debido a la petición del Coronel. Así que nos besamos en silencio y nos reímos suavemente con la boca y los ojos.

Después de tanto besarnos, empezó a volverse aburrido y susurré:

—¿Quieres ser mi novia?

Ella contestó:

—Sí, por favor —y sonrió. Dormimos juntos en su bolsa de dormir, que resultó un tanto apretada, a decir verdad, pero de todas maneras fue rico. Nunca había sentido a otra persona contra mí mientras dormía. Fue un buen final para el mejor día de mi vida.

UN DÍA ANTES

A la mañana siguiente, un término que uso a la ligera porque ni siquiera había amanecido, el Coronel me sacudió para despertarme. Lara estaba envuelta en mis brazos, plegada en mi cuerpo.

—Tenemos que irnos, Gordo. Es hora de moverse.

—Bróder, estoy durmiendo.

—Puedes dormir cuando estemos de regreso. ¡Es hora de irse! —gritó.

—Está bien. Está bien. No grites. La cabeza duele —y sí, dolía. Podía sentir el vino de la noche anterior en la garganta y martillazos en la cabeza, como la mañana después de la conmoción. La boca me sabía como si se me hubiera metido un zorrillo en la garganta y se hubiera muerto allí. Hice un gran esfuerzo para no exhalar cerca de Lara mientras ella se desenredaba medio atontada de la bolsa de dormir.

Empacamos todo rápidamente, lanzamos nuestras botellas vacías entre los pastos altos del campo —tirar la basura en donde cayera era una necesidad desafortunada en el Creek, donde nadie quería tirar una botella vacía de alcohol en un bote de basura de la escuela— y nos alejamos del granero. Lara me agarró la mano y luego, tímidamente, la soltó. Alaska lucía como si la hubieran atropellado, pero insistió en verter los últimos tragos de Strawberry Hill en su café instantáneo frío antes de tirar la botella.

—Pelo de perro —dijo.

—¿Cómo estás? —le preguntó el Coronel.

—He tenido mañanas mejores.

—¿Cruda?

—Como un cura alcohólico en domingo por la mañana.

—Quizá no deberías tomar tanto —sugerí.

—Gordo —meneó la cabeza y bebió el café frío con vino—, Gordo, lo que tienes que entender sobre mí es que soy una persona profundamente infeliz.

Caminamos lado a lado por el sendero de tierra deslavado de vuelta a la escuela. Justo después de llegar al puente, Takumi se detuvo, "oh, oh", se puso a gatas y vomitó un volcán amarillo y rosa.

—Suéltalo —dijo Alaska—. Estarás bien.

Terminó, se puso de pie y dijo:

—Por fin encontré algo que puede detener al Zorro. El Zorro no puede con Strawberry Hill.

Alaska y Lara caminaron a sus habitaciones, con la intención de avisarle al Águila más tarde que ya habían regresado, mientras Takumi y yo estábamos detrás del Coronel cuando tocó a la puerta del Águila a las 9:00 de la mañana.

—Todos llegaron a casa temprano. ¿Se divirtieron?

—Sí, señor —dijo el Coronel.

—¿Cómo está tu mamá, Chip?

—Está bien, señor. En buena forma.

—¿Los alimentó bien?

—Vaya que sí, señor. Intentó hacerme engordar.

—Lo necesitas. Que tengan un buen día.

—Bueno, creo que no sospechó nada —dijo el Coronel, mientras regresábamos a la habitación 43—. Quizá lo conseguimos.

Pensé en ir a ver a Lara, pero estaba bastante cansado, así que mejor me fui a la cama y dormí para curarme la cruda.

No fue un día en el que pasara nada. Debí haber hecho cosas extraordinarias. Debí haberle chupado la médula a la vida. Pero ese día dormí dieciocho horas de las posibles veinticuatro.

EL ÚLTIMO DÍA

A la mañana siguiente, el primer lunes del nuevo semestre, el Coronel salió de la regadera justo cuando sonó mi alarma.

Al ponerme los zapatos, Kevin tocó una vez y luego abrió la puerta, entrando.

—Te ves bien —dijo el Coronel, de modo casual. Kevin traía ahora un corte militar y una pequeña mancha azul en el cabello corto a cada lado de la cabeza, justo arriba de las orejas. Proyectaba el labio inferior hacia afuera; el primer escupitajo de la mañana. Se acercó a nuestra MESA PARA CAFÉ, levantó una lata de Coca-Cola y escupió en ella.

—Casi no lo logran. Me di cuenta en el acondicionador y me volví a meter de inmediato a la regadera. Pero no lo vi en el gel. En el cabello de Jeff no se nota para nada. Pero Longwell y yo tendremos que conformarnos con el *look* de marineros. Gracias a Dios que tengo una máquina para cortarme el pelo.

—Te queda bien —le dije, aunque no era así. El cabello corto marcaba sus rasgos, específicamente los ojos pequeños y demasiado juntos, que no se veían bien tan acentuados. El Coronel intentaba con todas sus ganas verse duro, listo para cualquier cosa que le pudiera hacer Kevin, pero es difícil verse duro cuando todo lo que traes puesto es una toalla anaranjada.

—¿Tregua?

—Bueno, me temo que tus problemas no han terminado —dijo el Coronel, refiriéndose a los reportes de progreso ya enviados pero aún no recibidos.

—Está bien, si tú lo dices. Hablaremos cuando hayan terminado, supongo.

—Supongo —dijo el Coronel. Cuando salió Kevin, el Coronel le dijo:

—Por lo menos llévate la lata en la que escupiste, imbécil antihigiénico.

Kevin sólo cerró la puerta detrás de él. El Coronel tomó la lata, abrió la puerta y se la lanzó a Kevin, sin atinarle por mucho.

—Tranquilo.

—No hay tregua aún, Gordo.

Pasé la tarde con Lara. Estábamos muy encantadores entre nosotros, aun cuando no sabíamos ni un ápice uno sobre el otro y casi no hablábamos. Pero nos besuqueamos. Ella me agarró el trasero en cierto momento y yo medio brinqué. Estaba acostado, pero logré el mejor salto que se puede dar cuando uno está acostado, y ella dijo:

—Perdón.

Y yo contesté:

—No, está bien. Sucede que estoy un poco adolorido, por lo del cisne.

Caminamos juntos a la sala de TV y yo cerré la puerta con llave. Estábamos viendo *The Brady Bunch*, que ella nunca había visto. Era el episodio en donde la familia Brady visita el pueblo fantasma de minas de oro y terminan todos encerrados en la cárcel por un viejo loco; el anciano, de los que lavan el oro y tienen una barba blanca rala, era especialmente horrible y nos dio mucho de qué reírnos. Lo que funcionaba bien, porque no teníamos mucho de qué hablar.

Justo cuando estaban metiendo a los Brady en la cárcel, Lara súbitamente me preguntó:

—¿Alguna vez te la han mamado?

—Mmm, eso salió de la nada —dije.

—¿La nada?

—Sí, como del jardín izquierdo.

—¿Jardín izquierdo?

—Como en el beisbol. Como de la nada. Digo, ¿qué te hizo pensar en eso?

—Que nunca lo he hecho —contestó, con su vocecita escurriendo seducción. Era tan atrevido. Pensé que iba a explotar. Nunca pensé. Digo, oír eso de Alaska era una cosa. Pero oír esa dulce vocecita rumana volverse tan *sexy* de repente...

—No —dije—, nunca.

—¿Crees que sería divertido?

"¿Queee Quéeeeeeee?"

—Mmm, sí, pero no tienes que hacerlo.

—Creo que quiero hacerlo —dijo, y nos besamos un poquito. Y luego, y luego, mientras permanecía sentado viendo *The Brady Bunch*, mirando a Marcia Marcia Marcia con sus payasadas tipo Brady, Lara me desabrochó los pantalones, me jaló el bóxer un poco hacia abajo y me sacó el pene.

—Guau —dijo.

—¿Qué?

Me miró, sin mover su cara a milímetros de mi pene.

—Es raro.

—¿Qué quieres decir con raro?

—Grande, supongo.

Podía vivir con esa definición de raro. Luego cerró su mano alrededor de mi pene y se lo metió en la boca.

Esperó.

Los dos estábamos muy quietos. Ella no movía un solo músculo de su cuerpo y yo no movía un solo músculo del mío. Yo sabía que a estas alturas algo más tenía que suceder, pero no estaba del todo seguro de qué.

Ella permaneció inmóvil. Podía sentir su respiración nerviosa. Durante minutos, los mismos que les llevó a los Brady robar la llave y abrir la cerradura de la cárcel del pueblo fantasma, ella permaneció ahí, del todo inmóvil, con mi pene en su boca, y yo sentado ahí, esperando.

Luego de un rato se lo sacó de la boca y me miró fijamente, con curiosidad.

—¿Debo hacer algo?

—Mmm, no sé.

Todo lo que aprendí de ver porno con Alaska de pronto se me esfumó de la cabeza. Pensé que quizá ella debía mover la cabeza para arriba y para abajo, pero ¿no haría eso que se atragantara? Así que permanecí callado.

—¿Debería, quizá, morderlo?

—¡No lo muerdas! Digo, no lo creo. Creo... digo, eso se sintió bien. Rico. No sé si hay algo más.

—Quiero decir, ¿tú no...?

—Mmm. Quizá deberíamos preguntarle a Alaska.

Así que fuimos a su habitación y le preguntamos. Alaska se rio y se rio. Sentada en su cama, se rio hasta que lloró. Se metió al baño, regresó con el tubo de pasta de dientes y nos mostró. En detalle. Sinceramente yo nunca había deseado con tantas ganas ser Colgate Total.

Lara y yo regresamos a su habitación, en donde ella hizo exactamente lo que Alaska le dijo que hiciera y yo hice exactamente lo que Alaska dijo que yo haría, que era tener cien pequeñas muertes extáticas, con los puños apretados, el cuerpo temblándome. Era mi primer orgasmo con una chica y, después, me sentí avergonzado y nervioso, igual que Lara, evidentemente, quien al cabo de un rato rompió el silencio preguntando:

—Bueno, ¿querrías hacer algo de tarea?

Había poco que hacer el primer día del semestre, pero ella se puso a leer algo para la clase de Inglés. Yo me hice de una biografía del revolucionario argentino Ernesto *Che* Guevara (cuyo rostro adornaba la pared en un cartel), que la compañera de cuarto de Lara tenía en su estante de libros y luego me acosté junto a ella en la litera inferior. Comencé por el final, como hago a veces con las biografías que no tengo la intención de leer de principio a fin, y encontré sus últimas palabras sin mucho buscar. Capturado por el ejército boliviano, Guevara dijo: "Dispara, cobarde. Sólo vas a matar a un hombre".

Pensé en las últimas palabras de Simón Bolívar en la novela de García Márquez: "¡Cómo salir de este laberinto!".

Los revolucionarios sudamericanos, parecería, morían con estilo. Le leí las últimas palabras en voz alta a Lara. Ella se volvió de lado, colocando la cabeza en mi pecho.

—¿Por qué te gustan tanto las últimas palabras?

Por raro que parezca, nunca había pensado en el por qué.

—No lo sé —dije, colocando la mano en la curva de su espalda—. A veces, tan sólo porque son chistosas. Como en la Guerra Civil, un general de nombre Sedgwick dijo: "No podrían matar a un elefante a esta dis..." —y ahí le dispararon.

Lara se rio.

—Pero, muchas veces, la gente muere como vivió. Así que las últimas palabras me dicen mucho de quiénes fueron las personas y por qué se convirtieron en el tipo de personas sobre las que se escriben biografías. ¿Tiene sentido eso?

—Sí —dijo.

—¿Sí? ¿Sólo sí?

—Sí —dijo, y regresó a su lectura.

No sabía cómo hablar con ella. Y me sentí frustrado intentándolo, así que, después de un ratito, me levanté para irme.

Le di un beso de despedida. Cuando menos, podía hacer eso.

Recogí a Alaska y al Coronel en nuestra habitación y caminamos hasta el puente, en donde repetí con detalles vergonzosos el fiasco de la estimulación oral.

—No puedo creer que te lo hiciera dos veces en un día —dijo el Coronel.

—Sólo técnicamente. En realidad fue una sola —corrigió Alaska.

—De todos modos. Digo. A Gordo le chuparon la salchicha.

—Pobrecito Coronel —dijo Alaska, con una sonrisa de lástima—. Te daría una mamada por compasión, pero de verdad le tengo apego a Jake.

—Eso suena tétrico —dijo el Coronel—. Se supone que sólo debes coquetear con el Gordo.

—Pero el Gordo tiene una *nooooviiiaaa* —se rio.

Esa noche, el Coronel y yo caminamos hasta la habitación de Alaska para celebrar nuestro éxito de la "Noche del granero". Ella y el Coronel habían estado celebrando mucho en los últimos dos días y yo no tenía ganas de empinarme el Strawberry Hill, así que me senté y mordisqueé *pretzels* mientras Alaska y el Coronel bebían vino en vasos de papel con florecitas.

—Hoy, nada de terminarnos la botella así como así, ¿eh? —dijo el Coronel—. ¡Lo haremos con clase!

—Es un concurso de bebida sureño, como se hacían antes —respondió Alaska—. Invitemos al Gordo a una noche de verdadera vida sureña: nos retamos uno al otro vaso de papel por vaso de papel en mano hasta que caiga el que menos bebe.

Y eso fue mal que bien lo que hicieron, haciendo sólo una pausa para apagar las luces a las 23:00 h, para que el Águila no fuera a pasar a visitarnos. Hablaban algo pero, sobre todo, bebían, y yo me vi arrastrado por la conversación y terminé entrecerrando los ojos en la oscuridad, viendo los lomos de los libros de la Biblioteca de Vida de Alaska. Incluso sin los libros que se habían perdido en la mininundación, yo podría haberme quedado hasta la mañana leyendo los títulos de las pilas amontonadas sin ton ni son. Una docena de tulipanes blancos en un jarrón de plástico estaban colocados con descuido encima de uno de los montones de libros; cuando le pregunté al respecto, sólo dijo:

—De mi aniversario con Jake... —y como no me interesó continuar con esa línea de diálogo, volví a leer los títulos y me pregunté qué tendría que hacer para encontrar las últimas palabras de Edgar Allan Poe (hago constar que fueron: "El Señor ayude a mi pobre alma") cuando Alaska dijo:

—El Gordo ni siquiera nos está escuchando.

—Los escucho —contesté.

—Estábamos hablando acerca de verdad o desafío. ¿Lo jugaste hasta el cansancio en séptimo grado o todavía te quedan ganas?

—Nunca lo he jugado. No tenía amigos en séptimo —dije.

—Bueno, ¡helo allí! —gritó, en voz un tanto alta, dada la hora de la noche, pero también dado el hecho de que estaba bebiendo vino abiertamente en la habitación. ¡Verdad o desafío!

—Está bien —le concedí—, pero no me voy a besuquear con el Coronel.

El Coronel estaba en el rincón.

—No puedes besuquearme. Estoy demasiado borracho.

Alaska empezó.

—Verdad o desafío, Gordo.

—Desafío.

—Ven conmigo.

Así que eso hice.

Fue así de rápido. Me reí, parecí nervioso, y ella se inclinó hacia mí y ladeó la cabeza y nos estábamos besando. Cero capas entre nosotros. Nuestras lenguas danzando de ida y vuelta en la boca del otro hasta que ya no había ni su boca ni la mía sino sólo nuestras bocas entrelazadas. Ella sabía a cigarros, a refresco Mountain Dew, a vino y pomada para labios. Su mano subió a mi rostro y sentí sus dedos suaves seguir la línea de mi mandíbula. Nos recostamos al besarnos, ella encima de mí, y empecé a moverme debajo de ella. Yo me aparté un momento, para preguntar: "¿Qué está sucediendo aquí?", y ella se llevó un dedo a los labios y nos volvimos a besar. Una de sus manos agarró una de las mías y se la colocó en el estómago. Yo me moví lentamente encima de ella y la sentí arquear la espalda con fluidez debajo de mí.

Me volví a apartar.

—¿Qué hay de Lara? ¿De Jake?

Una vez más, me dijo:

— *Shhh.* Menos lengua, más labios —e hice mi mejor esfuerzo. Yo pensaba que la lengua era de lo que se trataba todo, pero ella era la experta.

—¡Por Dios! —dijo el Coronel en voz muy alta—. Esa bestia maldita, el drama se acerca.

Pero no le prestamos atención. Ella movió mi mano de su cintura a su pecho y yo lo toqué con precaución, moviendo los dedos lentamente bajo su blusa pero sobre su sostén, trazando el contorno de sus pechos y luego tomando uno en mi mano, apretándolo con suavidad.

—Eres bueno en eso —susurró. Sus labios nunca dejaron los míos mientras hablaba. Nos movimos juntos, mi cuerpo entre sus piernas.

—Esto es tan divertido —murmuró—, pero tengo tanto sueño. ¿Continuamos luego?

Me besó un momento más, y mi boca se esforzaba para permanecer cerca de la suya. Luego se quitó debajo de mí, colocó su cabeza en mi pecho y se quedó dormida de inmediato.

No tuvimos sexo. Nunca nos desnudamos. Nunca toqué su pecho desnudo y sus manos nunca bajaron más allá de mis caderas. No importaba. Mientras dormía, le susurré:

—Te amo, Alaska Young.

Justo cuando estaba a punto de quedarme dormido, el Coronel habló:

—Bróder, ¿acabas de besuquearte con Alaska?

—Sí.

—Esto va a terminar mal —se dijo a sí mismo.

Y luego me quedé dormido. Ese sueño profundo de todavía-la-puedo-saborear-en-mi-boca, ese sueño que no es particularmente profundo pero del que de cualquier manera cuesta trabajo despertarse. Luego, oí sonar el teléfono. Creo. Y creo, incluso cuando no puedo saberlo, que sentí a Alaska levantarse. Creo que la oí salir. Creo. Cuánto tiempo estuvo fuera, es imposible saberlo.

Pero tanto el Coronel como yo nos despertamos cuando regresó, cuando quiera que eso haya sido, porque azotó la puerta. Estaba llorando, como aquella mañana posterior al día de Acción de Gracias, pero peor.

—¡Tengo que salir de aquí! —lloriqueó.

—¿Qué pasa? —pregunté.

—¡Se me olvidó! ¡Dios!, ¿cuántas veces puedo arruinar las cosas? —dijo.

Ni siquiera tuve tiempo de preguntarme qué podría haber olvidado antes de que gritara:

—Sólo tengo que salir. ¡Ayúdenme a salir de aquí!

—¿A dónde necesitas ir?

Se sentó y puso la cabeza entre las piernas, llorando.

—Sólo distraigan al Águila ahora para que me pueda ir. Por favor.

El Coronel y yo, al mismo tiempo, con igual cantidad de culpa, dijimos:

—Está bien.

—Sólo que no enciendas las luces —dijo el Coronel—. Sólo maneja lento y no enciendas tus luces. ¿Estás segura de que estás bien?

—¡Carajo! Únicamente desháganse del Águila por mí —dijo, entre sollozos de niña, como gritos a medias—. ¡Dios mío!, ¡oh, Dios!, lo siento tanto.

—Está bien —dijo el Coronel—. Enciende el carro cuando oigas el segundo cohete.

Nos fuimos.

No le dijimos: "No manejes. Estás borracha".

No le dijimos: "No te dejaremos manejar ese carro perturbada".

No le dijimos: "Insistimos en ir contigo".

No le dijimos: "Esto puede esperar hasta mañana. Todo, cualquier cosa, puede esperar".

Caminamos hacia el baño, tomamos los tres cohetes que quedaban debajo del lavabo y corrimos a casa del Águila. No estábamos seguros de que funcionaría de nuevo.

Pero funcionó bastante bien. El Águila salió corriendo de su casa en cuanto oyó el primer cohete —supongo que nos estaba esperando—; nos dirigimos hacia el bosque e hicimos que se metiera tan adentro que nunca la oyó salir. El Coronel y yo volvimos hacia atrás, vadeando por el arroyo para ahorrar tiempo, nos metimos por la ventana trasera de la habitación 43 y dormimos como angelitos.

DESPUÉS

UN DÍA DESPUÉS

El Coronel durmió el sueño no muy tranquilo de los borrachos y yo me acosté boca arriba en la litera inferior. La boca me cosquilleaba como si todavía estuviera besando a alguien, y seguramente nos habríamos quedado dormidos en el transcurso de casi todas las clases de la mañana si el Águila no nos hubiera despertado a las 8:00 h con tres toquidos rápidos. Me di la vuelta cuando abrió la puerta y la luz de la mañana inundó la habitación.

—Necesito que todos vayan al gimnasio —ordenó.

Entrecerré los ojos hacia donde él estaba de pie, casi invisible debido al sol demasiado brillante.

—Ahora —añadió, y lo supe: era el final. Nos habían atrapado. Demasiados reportes de progreso. Demasiado tomar en tan poco tiempo. ¿Por qué habían bebido anoche? La saboreé de nuevo, el vino, el humo de cigarro, la pomada para labios y Alaska. Y me pregunté si solamente me habría besado porque estaba borracha. "No me expulsen. No lo hagan. Apenas empecé a besarla", pensé.

Y, como si respondiera a mis oraciones, el Águila dijo:

—No están en problemas. Pero necesitan ir al gimnasio ahora mismo.

Oí al Coronel girar en la litera arriba de mí.

—¿Qué sucede?

—Algo terrible ha sucedido —dijo el Águila y cerró la puerta.

Mientras tomaba unos pantalones de mezclilla que estaban tirados en el piso, el Coronel dijo:

—Esto sucedió hace un par de años, cuando murió la esposa de Hyde. Debe tratarse del Anciano ahora. Al pobre bastardo ya no le quedaban muchas respiraciones.

Me miró, con los ojos medio abiertos, como inyectados de sangre y bostezó.

—Te ves un poco crudo —observé.

Cerró los ojos.

—Bueno, pues entonces soy bueno para aparentar, Gordo, porque de hecho estoy muy crudo.

—Besé a Alaska.

—Sí. Tan, tan borracho no estaba. Vámonos.

Atravesamos el círculo de dormitorios hacia el gimnasio. Yo traía puestos unos pantalones de mezclilla sueltos, una sudadera sin camisa debajo y una obvia cara de sueño.

Todos los profesores estaban en el círculo de dormitorios, tocando puertas; sin embargo, no vi al doctor Hyde. Lo imaginé recostado, muerto, en su casa. Me pregunté quién lo habría encontrado y cómo sabrían que no estaba antes de que no apareciera en clase.

—No veo al doctor Hyde —le dije al Coronel.

—Pobre bastardo.

El gimnasio ya estaba medio lleno para cuando llegamos. Habían colocado un podio a mitad de la cancha de basquetbol, cerca de las gradas. Yo me senté en la segunda fila y el Coronel justo enfrente de mí. Mis pensamientos estaban divididos entre la tristeza que sentía por el doctor Hyde y la emoción que me despertaba Alaska, recordando la vista cercana de su boca que me susurró: "¿Continuamos luego?".

Y no se me ocurrió nada, ni siquiera cuando el doctor Hyde entró arrastrando los pies al gimnasio, dando pasitos lentos hacia el Coronel y hacia mí.

Le di unas palmaditas al Coronel en el hombro y le dije:

—Hyde está aquí.

El Coronel dijo:

—¡En la madre!

Y yo pregunté:

—¿Qué?

Y él preguntó:

—¿Dónde está Alaska?

Y yo dije:

—No sé.

Y él preguntó:

—Gordo, ¿está aquí o no?

Entonces los dos nos pusimos de pie y nos fijamos en los rostros que había en el gimnasio.

El Águila se acercó al podio y preguntó:

—¿Están todos aquí?

—No —le dije—. Alaska no está.

El Águila miró hacia abajo.

—¿Todos los demás están aquí?

—¡Alaska no está!

—Está bien, Miles, gracias.

—No podemos empezar sin Alaska.

El Águila me miró. Estaba llorando, sin hacer ruido. Las lágrimas rodaban de sus ojos a su barbilla y caían en sus pantalones de pana. Me miró fijamente, pero no era la "mirada de la perdición". Con los párpados que dejaban caer las lágrimas que rodaban por su rostro, el Águila se veía increíblemente afligido.

—Por favor, señor —dije—. ¿Podemos esperar a Alaska?

Sentí que todos los demás se nos quedaban viendo, tratando de saber lo que yo ya sabía, pero no me atrevía a creer.

El Águila miró hacia abajo y se mordió el labio inferior.

—Anoche, Alaska Young tuvo un terrible accidente —sus lágrimas corrían con mayor velocidad ahora—. Y se mató. Alaska falleció.

Por un momento, todo el gimnasio guardó silencio. El lugar nunca había estado tan sereno, ni siquiera en los momentos previos a los que el Coronel ridiculizara a nuestros oponentes en la zona de tiro libre. Clavé la mirada en la nuca del Coronel. Tan sólo miraba su grueso y tupido cabello. Por un momento, el lugar estaba tan silencioso que se podía oír la pausa entre la respiración de cada uno, el vacío creado por 190 alumnos tan impresionados que habían dejado de respirar.

Pensé: "Todo por mi culpa".

Pensé: "No me siento muy bien".

Pensé: "Voy a vomitar".

Me puse de pie y corrí afuera. Alcancé a llegar a un bote de basura en las inmediaciones del gimnasio, a tres metros de las puertas dobles, y volví el estómago sobre botellas de Gatorade y mitades de hamburguesas de McDonald's. Pero no salió mucho de mi estómago. Simplemente fueron las arcadas, los músculos del vientre que se contraían, mi garganta abierta, un resuello gutural y las contracciones al vomitar una y otra vez. Entre las arcadas y la tos, jalaba tanto aire como podía. Su boca. Su boca fría, muerta. No continuará luego. Yo sabía que estaba borracha. Perturbada. Por lógica, no dejas que alguien maneje borracho y molesto. Por lógica. ¡Por Dios!, Miles, ¿qué fregados te pasa? Y al fin llega el vómito, salpicando el bote de basura. Y aquí está lo que quedaba de ella en mi boca, aquí en este bote de basura. Y luego llega de nuevo, más. Y luego, está bien, cálmate, está bien, en serio, no está muerta.

No está muerta. Está viva. Está viva en alguna parte. Está en el bosque. Alaska se está escondiendo en el bosque y no está muerta;

sólo se está ocultando. Es una broma. Es sólo una travesura al mil por ciento de Alaska Young. Es Alaska como es Alaska, graciosa y juguetona, sin saber cómo o cuándo meter los frenos.

Luego me sentí mucho mejor, porque no había muerto.

Regresé al gimnasio y todos parecían estar a punto de quedar destrozados. Era como algo que verías en TV, como un especial de National Geographic acerca de rituales funerarios. Vi a Takumi de pie, con las manos sobre los hombros de Lara, quien permanecía sentada. Vi a Kevin, con su corte militar y la cabeza escondida entre sus rodillas. Una chica llamada Molly Tan, que había estudiado con nosotros para Precálculo, gemía, golpeando sus muslos con los puños cerrados. Todas estas personas que medio conocía y medio no estaban todas deshechas. Luego vi al Coronel, con las rodillas dobladas hacia el pecho, acostado de lado en las gradas. *Madame* O'Malley, sentada junto a él, extendía la mano hacia su hombro pero sin tocarlo. El Coronel gritaba. Inhalaba. Gritaba. Inhalaba. Gritaba. Inhalaba. Gritaba.

Pensé, al principio, que sólo gritaba. Pero después de algunas respiraciones, observé un ritmo. Después de algunas más, me di cuenta de que el Coronel decía palabras. Gritaba:

—¡Lo siento tanto!

Madame O'Malley lo tomó de la mano.

—No tienes nada que sentir, Chip. No hay nada que pudieras haber hecho —pero si tan sólo supiera.

Yo permanecía ahí, de pie. Miraba la escena, pensando en que no estaba muerta, cuando sentí una mano en mi hombro; me volví a ver al Águila y le dije:

—Creo que es una de sus travesuras tontas.

Y él contestó:

—No, Miles, no. Lo siento mucho.

Sentí el calor en mis mejillas y afirmé:

—Ella es muy buena para eso. Podría hacerlo tan tranquila.

Él confirmó:

—Yo la vi. Lo siento.

—¿Qué sucedió?

—Alguien estaba echando cohetes en el bosque —contó, y yo cerré los ojos con fuerza ante el hecho inevitable: yo la maté—. Me fui tras ellos, y creo que ella salió de la escuela. Era tarde. Iba por la carretera I-65 justo al sur del centro. Un camión se había volcado a 90 grados, bloqueando ambos carriles. Una patrulla acababa de llegar a la escena. Ella golpeó la patrulla sin girar el volante. Creo que estaba muy embriagada. La policía dijo que olía a alcohol.

—¿Cómo sabe? —pregunté.

—Yo la vi, Miles. Hablé con la policía. Fue instantáneo. El volante la golpeó en el pecho. Lo siento tanto.

Y le pregunté: "¿Usted la vio?". Y él dijo "sí". Y le pregunté: "¿Cómo se veía?". Y él dijo "la nariz le sangraba un poquito". Luego me senté en el piso del gimnasio. Podía oír al Coronel que todavía gritaba y podía sentir unas manos en mi espalda al encorvarme hacia el frente, pero todo lo que podía ver era a ella, acostada, desnuda, sobre una mesa de metal, con un hilito de sangre cayendo de su nariz de media gota, sus ojos verdes abiertos, perdidos en la distancia, las comisuras de su boca hacia arriba, apenas lo suficiente para sugerir la idea de una sonrisa. Y se había sentido tan tibia contra mí, su boca suave y tibia sobre la mía.

El Coronel y yo regresamos en silencio a nuestro dormitorio. Yo miro fijamente el suelo debajo de mí. No puedo dejar de pensar en que está muerta y no puedo dejar de pensar en que no hay manera de que esté muerta. La gente no sólo se muere. No puedo lograr que mi respiración vuelva a su ritmo normal. Me siento temeroso, como si alguien me dijera que me va a golpear después de clases y ya estamos en el sexto curso, así que ya sé bien lo que sigue. Está tan frío el día de hoy —literalmente, helando— y me imagino que corro al arroyo y me sumerjo de cabeza; el agua está tan abajo que las manos se raspan contra las rocas y mi cuerpo se desliza hacia el agua fría; el impacto del frío me entumece y yo me quedo ahí, floto en esa agua, primero al río Cahaba, luego al río Alabama, luego a la bahía Mobile y por último al Golfo de México.

Quiero derretirme en el pasto café, crujiente, que el Coronel y yo pisamos al volver en silencio a nuestra habitación. Sus pies son muy grandes, demasiado grandes para su cuerpo corto, y los nuevos zapatos tenis, que usa desde que se orinaron en los viejos, se ven casi como zapatos de payaso. Pienso en las chanclas de Alaska colgadas de sus dedos con uñas azules, cuando nos mecíamos en el columpio junto al lago. ¿Estará abierto el ataúd? ¿Podrá el de la funeraria recrear su sonrisa? Todavía la podía oír diciendo: "Esto es tan divertido, pero tengo tanto sueño. ¿Continuamos luego?".

Las últimas palabras del predicador del siglo XIX Henry Ward Beecher fueron: "Ahora llega el misterio".

El poeta Dylan Thomas, a quien le gustaba un buen trago por lo menos tanto como a Alaska, dijo estas otras últimas palabras: "Me he tomado dieciocho whiskis puros. Presumo que ése es un récord", antes de morir.

Las favoritas de Alaska eran las del dramaturgo Eugene O'Neill: "Nacido en un cuarto de hotel y, ¡maldita sea!, muerto en un cuarto de hotel".

Incluso las víctimas de accidentes automovilísticos tienen últimas palabras. La Princesa Diana preguntó: "¡Oh, Dios!, ¿qué sucedió?".

La estrella cinematográfica James Dean dijo: "Tienen que vernos", justo antes de estrellar su Porsche contra otro coche.

Conozco tantas últimas palabras, pero nunca conoceré las de Alaska.

Voy varios pasos adelante de él cuando me doy cuenta de que el Coronel se cayó.

Me doy la vuelta y está tirado boca abajo.

—Tenemos que levantarnos, Chip. Tenemos que levantarnos. Tenemos que llegar a la habitación.

El Coronel se da la vuelta, levanta el rostro del piso, me clava la mirada y me dice:

—No. Puedo. Respirar.

Pero sí puede respirar y lo sé porque está hiperventilando, respirando como si intentara infundirle aire a los muertos. Lo levanto, se me aferra y vuelve a empezar a sollozar, diciendo: "Lo siento tanto", una y otra vez. Nunca antes nos habíamos abrazado y no hay mucho que decir, porque él tiene que sentirlo, y yo sólo le pongo una mano en la nuca y digo lo único que es cierto:

—Yo también lo siento.

DOS DÍAS DESPUÉS

No dormí esa noche. El alba se tardó en llegar e incluso cuando lo hizo, con el sol brillando a través de las persianas, el destartalado radiador no podía mantenernos tibios, así que el Coronel y yo nos sentamos sin decir palabra en el sofá. Él leía el almanaque.

La noche anterior había enfrentado el frío para llamar a mis padres. Esta vez, cuando dije: "Hola, soy Miles", y mamá contestó: "¿Qué te pasa? ¿Está todo bien?", pude decirle con seguridad que no, que las cosas no estaban bien. Papá tomó la extensión.

—¿Qué sucede? —preguntó.

—No grites —dijo mamá.

—No estoy gritando; es el teléfono.

—Bueno, pues habla más bajo —dijo ella, así que me llevó un buen rato poder decir algo. Una vez que lo logré, me llevó otro rato poder decir las cosas en orden:

—Mi amiga Alaska murió en un accidente automovilístico —yo miraba fijamente los números y los mensajes garabateados en la pared junto al teléfono.

—¡Oh, Miles! —exclamó mamá—. Lo siento tanto, Miles. ¿Quieres venir a casa?

—No —contesté—. Quiero estar aquí... no lo puedo creer —lo que todavía era, en parte, cierto.

—Eso es horrible —dijo papá—. Sus pobres papás.

"Pobre papá", pensé, y me pregunté sobre su padre. Ni siquiera podía imaginar lo que harían mis padres si yo muriera. Manejar borracha. ¡Oh, Dios! Si su papá alguna vez se enterara, nos destriparía al Coronel y a mí.

—¿Cómo te podemos ayudar ahora? —preguntó mamá.

—Sólo necesitaba que respondieran mi llamada. Necesitaba que levantaran el teléfono, y eso hicieron.

Oí a alguien resollar detrás de mí (por frío o pena, no lo sé) y le dije a mis padres:

—Alguien está esperando el teléfono. Me tengo que ir.

Toda la noche me sentí paralizado ante el silencio, aterrorizado. ¿A qué le temía tanto? La situación ya se había dado. Ella estaba muerta. Ella estaba tibia y suave contra mi piel, con mi lengua en su boca, y se reía, tratando de enseñarme, mejorarme, prometiendo que continuaría. Y ahora.

Ahora se ponía más fría con cada hora que pasaba, más muerta con cada una de mis exhalaciones. Pensé: "Ése es el miedo: perdí algo importante, no lo puedo encontrar y lo necesito. Es un miedo semejante al de alguien que perdiera sus lentes, fuera a la óptica y le dijeran que todos los lentes del mundo se acabaron y que tendría que vivir sin ellos".

Justo antes de las ocho de la mañana, el Coronel anunció a nadie en particular:

—Creo que hoy habrá *bufritos* a la hora de la comida.

—Sí —dije—. ¿Tienes hambre?

—¡Dios mío!, no. Pero ella fue quien les puso el nombre. Se llamaban burritos fritos cuando llegamos y Alaska empezó a decirles *bufritos*. Luego todos los demás lo hicieron también. Y después, finalmente, Maureen les cambió el nombre de manera oficial.

Hizo una pausa.

—No sé qué hacer, Miles.

—Sí, lo sé.

—Terminé de memorizar las capitales —comentó.

—¿De los estados?

—No. Eso fue en quinto de primaria. De los países. Dime un país.

—Canadá.

—Algo difícil.

—Eh, ¿Uzbekistán?

—Taskent.

Ni siquiera se tomó un momento para pensarlo. Lo tenía ahí, en la punta de la lengua, como si hubiera estado esperando que yo dijera "Uzbekistán" desde el principio.

—Fumemos.

Entramos al baño, abrimos la regadera, el Coronel sacó una caja de cerillos de sus pantalones de mezclilla y frotó un cerillo contra la caja. No se encendió. Una vez más lo intentó y no pudo, y de nuevo; luego golpeó la caja de cerillos con una furia *in crescendo* hasta que finalmente lanzó los cerillos al suelo y gritó:

—¡Carajo!

—Está bien —le dije, buscando un encendedor en mi bolsillo.

—No, Gordo, no está bien —dijo, aventando su cigarro y poniéndose de pie, furioso de pronto.

—¡Carajo! ¡Dios mío! ¿Cómo fue a suceder esto? ¡Cómo pudo ser tan estúpida! Nunca pensaba bien las cosas. Tan malditamente impulsiva. Dios, no está bien. ¡No puedo creer que fuera tan estúpida!

—Debimos haberla detenido —dije.

Extendió la mano hacia la regadera para cerrar la poca agua que escurría y luego golpeó la palma abierta contra la pared.

—Sí, ya sé que debíamos haberla detenido, carajo. Estoy totalmente consciente, ¡mierda!, que debimos haberla detenido. Pero no tendríamos que haberlo hecho. Tenías que cuidarla como si fuera una niña de tres años. Te equivocas en una cosa y ella va y se muere. ¡Dios mío! Me estoy volviendo loco. Me voy a caminar.

—Está bien —contesté, tratando de mantener calmada la voz.

—Lo siento —dijo—. Me siento tan revuelto por dentro. Siento como si pudiera morirme.

—¿Podrías? —pregunté.

—Sí, sí. Podría. Nunca sabes. Es sólo que... Es como un zas. Y te fuiste.

Lo seguí a la habitación. Tomó el almanaque de su litera, se subió el cierre de la chamarra, cerró la puerta y ¡zas! Se había ido.

Con la mañana llegaron visitantes. Una hora después de que se fue el Coronel, Hank Walsten, el mariguano residente, pasó a ofrecerme algo de yerba que con toda gracia rechacé. Hank me abrazó y dijo:

—Cuando menos fue instantáneo. Cuando menos no hubo dolor.

Sé que sólo estaba tratando de ayudar, pero no entendía. Hubo dolor. Un dolor seco e infinito en mis entrañas que no se fue ni siquiera cuando me arrodillé en el mosaico congelado del baño, con arcadas de vómito en seco.

De cualquier manera, ¿qué significa muerte "instantánea"? ¿Qué tanto dura un instante? ¿Un segundo? ¿Diez? El dolor de esos segundos debió haber sido tremendo, al estallarle el corazón y al fallarle los pulmones, y ya sin aire y sin sangre que corriera hacia el cerebro quedaba solamente pánico absoluto. ¿Qué fregados es "al instante"?

Nada es al instante. El arroz al instante tarda cinco minutos. El budín instantáneo, una hora. Dudo que un instante de dolor cegador se sienta particularmente instantáneo.

¿Tendría tiempo de que su vida pasara delante de sus ojos? ¿Habré estado allí? ¿Habrá estado Jake? Y ella prometió, recordé, prometió que continuaría, pero también sé que iba conduciendo hacia el norte cuando murió, hacia Nashville, hacia Jake. Quizá no significó nada para ella, nada más que otro gran impulso. Con Hank parado en la entrada, miré a través de él, miré hacia el círculo de dormitorios, demasiado tranquilo, preguntándome si le habría importado y sólo puedo decirme que sí, que claro, que ella lo había prometido. Que continuaría.

Lara llegó después, con los ojos hinchados.

—¿Qué sucedió? —me preguntó cuando la abracé, parado de puntitas de tal manera que pudiera poner la barbilla sobre su cabeza.

—No lo sé.

—¿Tú viste a Alaska esa noche? —preguntó, hablándole a mi clavícula.

—Se emborrachó. El Coronel y yo nos quedamos dormidos y supongo que ella salió de la escuela.

Y ésa se convirtió en la mentira habitual.

Sentí los dedos de Lara, mojados por las lágrimas, que presionaban contra mi palma y, antes de que pudiera pensarlo, aparté la mano.

—Lo siento —dije.

—Está bien —contestó—. Estaré en mi habitación si quieres pasar.

No pasé. No sabía qué decirle. Estaba atrapado en un triángulo amoroso con uno de sus lados muerto.

Esa tarde, todos volvimos a entrar al gimnasio para una "asamblea del pueblo". El Águila anunció que la escuela rentaría autobuses el domingo para ir al funeral en Vine Station. Cuando nos levantamos para irnos, noté que Takumi y Lara se me acercaban.

Lara atrajo mi atención con una sonrisa débil. Le sonreí a la vez, pero rápido me di la vuelta y me oculté entre la multitud de enlutados que salían del gimnasio.

Estoy dormido y Alaska entra volando a la habitación. Está desnuda e intacta. Sus pechos, que sentí brevemente en la oscuridad, están plenos, luminosos y sobresalen de su cuerpo. Revolotea unos centímetros arriba de mí y su aliento tibio y dulce roza mi cuerpo como una brisa que pasa entre los pastos altos.

—Hola —digo—. Te he extrañado.

—Te ves bien, Gordo.

—Tú también.

—Estoy tan desnuda. ¿Por qué estoy tan desnuda? —dice y ríe.

—Sólo quiero que te quedes —le pido.

—No —contesta y su peso cae muerto sobre mí, me aplasta el pecho, se roba mi aliento. Y está fría y mojada, como hielo que se derrite. Su cabeza está partida en dos y un fango rosa grisáceo mana de la fractura de su cráneo y escurre hacia mi rostro. Y ella apesta a formaldehído y a carne pútrida. Quiero vomitar y la empujo lejos de mí, aterrado.

Me desperté y caí de la cama; aterricé con un golpe seco en el suelo. Gracias a Dios que soy un hombre de litera inferior. Había dormido catorce horas. Era de mañana. "Miércoles", pensé. Su funeral sería el domingo. Me pregunté si el Coronel habría regresado para entonces de dondequiera que estuviera. Tenía que regresar para su funeral, porque yo no podía ir solo e ir con alguien que no fuera el Coronel sería equivalente a ir solo.

El viento frío abofeteaba la puerta y los árboles que había afuera de la ventana posterior se sacudían con tanta fuerza que podía oírlo desde esta habitación. Me senté en mi cama y pensé en el Coronel, que estaría allá fuera en alguna parte, cabizbajo, con los dientes apretados, caminando en dirección al viento.

CUATRO DÍAS DESPUÉS

Eran las cinco de la mañana y leía una biografía del explorador Meriwether Lewis (el compañero de Clark); trataba de permanecer despierto cuando se abrió la puerta y entró el Coronel.

Sus manos pálidas temblaban y el almanaque que cargaba parecía una marioneta bailando sin hilos.

—¿Tienes frío? —pregunté.

Asintió, se quitó los tenis y se metió en mi cama, en la litera de abajo, jalando las cobijas. Los dientes le castañeteaban como código Morse.

—¡Por Dios! ¿Estás bien?

—Mejor ahora. Más tibio —dijo. Una manita blanca como fantasma apareció de abajo del edredón.

—Tómame la mano, ¿sí?

—Está bien, pero eso es todo. Nada de besarnos.

La colcha se sacudía con su risa.

—¿En dónde estabas?

—Caminé a Montevallo.

—¿Sesenta kilómetros?

—Sesenta y siete —me corrigió—. Bueno, sesenta y siete de ida. Sesenta y siete de regreso. Ciento treinta y dos kilómetros. No, ciento treinta y cuatro. Sí, eso, en cuarenta y cinco horas.

—¿Qué rayos hay en Montevallo? —pregunté.

—Nada. Sólo caminé hasta que me dio demasiado frío y luego me di la media vuelta.

—¿Dormiste?

—¡No! Los sueños son terribles. En mis sueños, ni siquiera parece ser ella. Ya ni siquiera me acuerdo de cómo era.

Le solté la mano, tomé el anuario del año anterior y encontré su fotografía. En la foto en blanco y negro trae su camiseta anaranjada de tirantes y los pantalones de mezclilla recortados que le llegaban hasta la mitad de sus muslos delgados. Con la boca bien abierta en una risa congelada, su brazo izquierdo tiene a Takumi en una llave de cabeza. Su cabello cae apenas sobre su rostro, lo suficiente para oscurecer sus mejillas.

—Cierto —dijo el Coronel—. Sí, ya estaba cansado de que se molestara sin razón aparente, de la manera en que se enfurruñaba y hacía referencias al peso opresivo e inesperado de la tragedia o lo que fuera. Pero luego nunca decía qué estaba mal, nunca daba una verdadera razón para estar triste. Y creo que uno debe tener una razón. Mi novia me dejó, así que estoy triste. Me cacharon fumando, así que estoy furioso. Me duele la cabeza, así que estoy de malas. Ella nunca tenía una razón, Gordo. Yo estaba tan cansado de aguantar su drama. Y por eso la dejé ir. ¡Dios mío!

Sus estados de ánimo cambiantes me habían molestado a mí también, en ocasiones, pero no esa noche. Esa noche la dejé ir porque me pidió que lo hiciera. Fue tan sencillo para mí y así de tonto.

La mano del Coronel era pequeña y la agarré con fuerza, para que su frío entrara en mí y mi calor en él.

—Memoricé los números de habitantes —dijo.

—Uzbekistán.

—Veintinueve millones trescientos noventa y cuatro mil doscientos.

—Camerún —dije, pero ya era muy tarde. Se había quedado dormido, con su mano flácida en la mía. La regresé bajo la colcha y me subí a su cama; dormí como hombre de litera superior sólo por esa noche. Me quedé dormido oyendo su respiración lenta, su necedad derretida finalmente ante la fatiga infranqueable.

SEIS DÍAS DESPUÉS

Ese domingo, me levanté después de tres horas de sueño y me di un regaderazo por primera vez en mucho tiempo. Me puse mi único traje. Prácticamente lo dejo en casa, pero mi mamá insistió en que nunca se sabe cuándo vas a necesitar un traje, y tenía toda la razón.

El Coronel no tenía traje, y debido a su estatura no podía pedirle prestado uno a nadie en el Creek, así que se puso pantalones negros y una camisa gris de botones.

—Supongo que no puedo utilizar la corbata de flamencos —dijo, al ponerse los calcetines negros.

—Es un poco festiva, dada la ocasión —respondí.

—No me la pude poner para la ópera —dijo el Coronel, casi sonriendo—. No me la puedo poner para un funeral. No la puedo utilizar para colgarme. Es un poco inútil, en lo que a corbatas se refiere.

Le di una corbata.

La escuela había alquilado autobuses para llevar a los alumnos al pueblo de Alaska, Vine Station; pero Lara, el Coronel, Takumi y yo nos fuimos en la camioneta de Takumi, tomando las carreteras rurales para no tener que pasar por el sitio del accidente en la autopista. Yo miraba por la ventana cómo la desordenada expansión suburbana que rodeaba Birmingham se desvanecía en las colinas de lentas pendientes y los campos de Alabama del Norte.

En el asiento de adelante, Takumi le contaba a Lara sobre la vez en que a Alaska le tocaron las tetas cual si fueran un claxon durante el verano y Lara se rio. Ésa fue la primera vez que la vi y ahora llegábamos a la última. Más que nada, sentía la injusticia de ello, la injusticia indiscutible de amar a alguien que podría haberme amado también, pero que ya no puede debido a su muerte y me incliné hacia adelante, con la frente contra el respaldo de Takumi, y lloré, gimiendo, pero ni siquiera sentía tanta tristeza como dolor. Dolía, y eso no es un eufemismo. Dolía como si me hubieran puesto una paliza.

Las últimas palabras de Meriwether Lewis fueron: "No soy un cobarde, pero soy muy fuerte. Es tan difícil morir".

No dudo que lo sea, pero no puede ser mucho más difícil que quedarse atrás. Pensé en Lewis mientras seguía a Lara a la capilla *A*, anexa a la funeraria de un solo piso en Vine Station, Alabama, un pueblo tan deprimido y depresivo como Alaska siempre dijo que era. El lugar olía a moho y desinfectante, y el papel tapiz amarillo del vestíbulo se estaba despegando de las orillas.

—¿Todos están aquí por la señorita Young? —le preguntó un tipo al Coronel y el Coronel asintió.

Nos condujeron a una habitación grande con filas de sillas plegables en donde había un solo hombre. Él se arrodilló delante de un ataúd al frente de la capilla.

El ataúd estaba cerrado. Cerrado. Nunca la volvería a ver. No podría besar su frente. No la podría ver por última vez. Pero necesitaba hacerlo, necesitaba verla, y en voz demasiado alta pregunté:

—¿Por qué está cerrado?

El hombre, cuya barriga empujaba hacia afuera de su traje demasiado apretado, se dio la vuelta y caminó hacia mí.

—Su mamá —dijo—. Su mamá tuvo un ataúd abierto y Alaska me dijo: "No vayas a dejar que me vean muerta, papá". Por eso es así. De todos modos, hijo, ella no está allí. Está con el Señor.

Este hombre, que había engordado desde la última vez que se tuvo que poner un traje, puso sus manos sobre mis hombros y yo no podía creer lo que yo mismo le había hecho. Sus ojos eran de un verde rutilante como los de Alaska pero hundidos en cuencas oscuras, como un fantasma de ojos verdes que aún respiraba para decir no, no, no, no te mueras, Alaska. No te mueras. Me desembaracé de su abrazo y pasé junto a Lara y Takumi para llegar al ataúd; me arrodillé delante y coloqué las manos sobre el acabado de madera, la caoba oscura del color de su cabello. Sentí las manos pequeñas del Coronel sobre mis hombros y una lágrima se escurrió sobre mi cabeza. Por unos momentos éramos sólo los tres, pues los autobuses de estudiantes no habían llegado, y Takumi y

Lara se desvanecieron para estar solamente los tres, tres cuerpos y dos personas, los tres que sabían lo que había sucedido, pero había demasiadas capas entre nosotros, nos manteníamos demasiado alejados.

El Coronel dijo:

—Yo sólo quiero salvarla.

Yo dije:

—Chip, ya se fue.

Él contestó:

—Pensé que la vería mirándonos, pero estás en lo cierto. Simplemente se fue.

Dije:

—¡Oh, Dios! Alaska, te amo. Te amo.

El Coronel susurró:

—Lo siento tanto, Gordo. Yo sé que la amabas.

Y yo contesté:

—No, no en tiempo pasado.

Ya ni siquiera era una persona, sólo carne en putrefacción, pero yo amaba su tiempo presente. El Coronel se arrodilló junto a mí, acercó sus labios al ataúd y susurró:

—Lo siento, Alaska. Te merecías un mejor amigo.

"¿Tan difícil es morir, señor Lewis? ¿Acaso ese laberinto es en verdad peor que éste?"

SIETE DÍAS DESPUÉS

Pasé el siguiente día en la habitación, jugando en silencio el video-juego de futbol, incapaz de hacer nada e incapaz de hacer mucho. Era el día de Martin Luther King, nuestro último día antes de que las clases comenzaran de nuevo, y yo no podía pensar en otra cosa que no fuera que la había matado. El Coronel pasó la mañana conmigo, pero luego decidió ir a la cafetería por carne mechada.

—Vamos —dijo.

—No tengo hambre.

—Tienes que comer.

—¿Quieres apostar? —propuse, sin levantar la vista del juego.

—Bueno —suspiró y se fue, azotando la puerta. "Sigue estando muy enojado", pensé, con un poco de lástima. No hay razón para estar enojado. La ira solamente distrae a la tristeza que todo lo abarca, el franco conocimiento de que tú la mataste y le robaste un futuro y una vida. Enfurecerse no lo iba a componer. Maldita sea.

—¿Cómo estuvo la carne mechada? —le pregunté al Coronel cuando volvió.

—Muy parecida a como la recuerdas. Ni sabe a carne ni tiene nada de mechada —el Coronel se sentó junto a mí.

—El Águila comió conmigo. Quería saber si nosotros habíamos puesto los cohetes.

Hice una pausa en el juego y volteé a verlo. Con una mano, picaba uno de los últimos pedazos remanentes de vinilo azul en el sofá de hule espuma.

—¿Y tú dijiste?

—No delaté a nadie. De cualquier manera, dijo que su tía o alguien vendrá mañana a limpiar su habitación. Así que si hay cualquier cosa que sea nuestra, o que no querríamos que su tía encontrara...

Regresé al juego y dije:

—Hoy no puedo con eso.

—Entonces lo haré yo solo —respondió. Se dio la vuelta y salió, dejando la puerta abierta, y los restos amargos de la racha de frío interfirieron en el radiador, así que hice una pausa en el juego y me levanté para cerrar la puerta.

Cuando me asomé a la esquina para ver si el Coronel había entrado en su cuarto, estaba parado ahí, justo afuera de nuestra puerta, y me sujetó fuerte de la sudadera, me sonrió y después me dijo:

—Sabía que no me dejarías hacer esto solo. Lo sabía.

Meneé la cabeza y miré arriba, pero lo seguí por la banqueta. Pasamos el teléfono de monedas y el cuarto de ella.

No había pensado en su olor desde que murió. Pero cuando el Coronel abrió la puerta, olí un dejo de su aroma: tierra mojada, pasto y humo de cigarros; debajo de eso, vestigios de una loción para la piel con aroma a vainilla. Inundó mi presente y sólo el tacto evitó que hundiera mi rostro en la ropa sucia que llenaba el canasto junto a su cómoda. Se veía como lo recordaba: cientos de libros apilados contra las paredes, el edredón color lavanda arrugado al pie de su cama, una precaria pila de libros en su mesa de noche, su vela volcánica asomada desde abajo de la cama. Se veía tal y como yo sabía que luciría, pero el olor, inequívocamente de ella, me impactó. Permanecí en el centro de la habitación, con los ojos cerrados, inhalando lentamente la vainilla y el pasto de otoño sin cortar, pero con cada respiración lenta, el olor se disipaba conforme me iba acostumbrando a él y pronto se había ido de nuevo.

—Esto es insoportable —dije, como un hecho, porque lo era—. ¡Oh, Dios! Estos libros que nunca leerá. Su Biblioteca de Vida.

—Comprados en ventas de garage y ahora quizá destinados a otra de esas ventas.

—"Polvo eres y en polvo te convertirás". De una venta de garage saliste y a otra venta de garage regresas.

—Está bien. Bueno, a lo que venimos. Busca cualquier cosa que su tía no querría encontrar —dijo el Coronel y lo vi arrodillarse junto a su escritorio, con el cajón bajo la computadora abierto, los dedos pequeños sacando grupos de papeles engrapados.

—Guardaba cada uno de los ensayos que escribió. "Moby Dick", "Ethan Frome".

Extendí el brazo en busca de los condones que sabía que escondía para las visitas de Jake, entre el colchón y el *box spring*. Me los eché a la bolsa y luego fui a su cómoda, buscando entre su ropa interior botellas ocultas de licor o juguetes sexuales o lo que fuera. No encontré nada. Luego me pasé a los libros, los miré apilados sobre sus costados, con los lomos hacia afuera, la colección improvisada de literatura que era de Alaska. Había un libro que quería llevarme, pero no lo encontré.

El Coronel estaba sentado en el suelo junto a su cama, con la cabeza inclinada hacia el piso, mirando debajo.

—No dejó nada de alcohol, ¿verdad? —preguntó.

Y casi le digo: "Lo escondió en el bosque junto al campo de futbol", pero me di cuenta de que el Coronel no lo sabía, que ella nunca lo había llevado a la orilla del bosque ni le había dicho que cavara en busca de un tesoro escondido, que ella y yo habíamos compartido eso solos y me lo guardé como recuerdo, como si el hecho de compartir esa remembranza pudiera llevarme a que se disipara.

—¿Ves *El general en su laberinto* en alguna parte? —le pregunté mientras revisaba los títulos en los lomos de los libros—. Tiene mucho verde en la cubierta, creo. Tiene cubierta suave y se empapó, así que las páginas probablemente estén hinchadas, pero no creo que ella...

Y en eso, él me interrumpió:

—Sí, aquí está.

Me di la vuelta y lo tenía en la mano, abierto como acordeón debido a la travesura de Longwell, Jeff y Kevin, y me acerqué a él, lo tomé y me senté en su cama. Los lugares que había subrayado y las notitas que había escrito se habían vuelto borrosos con la empapada, pero el libro seguía siendo legible en su mayoría y estaba pensando que me lo llevaría a mi habitación e intentaría leerlo aun cuando no fuera una biografía, cuando pasé a esa página, la del final:

Lo estremeció la revelación deslumbrante de que la loca carrera entre sus males y sus sueños llegaba en aquel instante a la meta final. El resto eran las tinieblas.

—Carajos —suspiró—. ¡Cómo voy a salir de este laberinto!

El pasaje entero estaba subrayado en tinta negra, sangrada, empapada por el agua. Pero había otra tinta, en azul vivo, posinundación, y una flecha que iba de: "¡Cómo voy a salir de este laberinto!" a una nota escrita al margen con su letra cursiva llena de lazos: "Derechito y rápido".

—Oye, escribió algo aquí después de la inundación —dije—. Pero está raro. Mira. La página ciento noventa y dos.

Le lancé el libro al Coronel y pasó las hojas hasta llegar a esa página y luego me miró. "Derechito y rápido", repitió.

—Sí. Extraño, ¿no? La manera de salir del laberinto, supongo.

—Espera, ¿cómo sucedió? ¿Qué sucedió?

Por la manera como lo dijo, supe a qué se refería.

—Te conté lo que me dijo el Águila. Un camión se dobló en dos sobre la carretera. Llegó la policía y ella se estrelló contra la patrulla. Estaba tan borracha que ni siquiera intentó esquivarla.

—¿Tan borracha? ¿Tan borracha? La patrulla habría tenido las luces encendidas. Gordo, se estrelló contra una patrulla que tenía las luces encendidas —dijo apresurado—. Derechito y rápido. Derechito y rápido. Fuera del laberinto.

—No —pero incluso mientras lo decía, podía verla. Podía verla lo suficientemente borracha y lo suficientemente furiosa. (¿Por qué? ¿Por engañar a Jake? ¿Por lastimarme a mí? ¿Por quererme a mí y no a él? ¿Todavía enojada consigo misma por haber delatado a Marya?) Podía verla mirando la patrulla y dirigiéndose hacia ella sin importarle nadie más, sin pensar en la promesa que me había hecho, sin pensar en su padre ni en nadie, y esa perra, esa perra, se mató. Pero no. No. Ésa no era ella. No. Ella dijo: "Continuará". Por supuesto.

—No.

—Sí, probablemente tienes razón —dijo el Coronel. Soltó el libro, se sentó en la cama junto a mí y puso la frente en sus manos.

—¿Quién maneja diez kilómetros fuera de la escuela para matarse ella misma? No tiene sentido. Pero "derechito y rápido". Es una premonición un tanto rara, ¿no? Y seguimos sin saber qué sucedió, si lo piensas. A dónde iba, por qué. Quién llamó. Alguien llamó, ¿verdad? o lo habré...

Y el Coronel seguía hablando, intentando descifrarlo, mientras yo levantaba el libro y encontraba esa página en donde la loca carrera del general llegaba a su fin y ambos estábamos atorados, la distancia entre nosotros, inexpugnable, y yo no podía escuchar al Coronel porque estaba ocupado tratando de captar lo último que quedaba de su olor, ocupado en convencerme de que por supuesto ella no lo había hecho. Fui yo, yo era quien lo había hecho, así como el Coronel. Él podía tratar de descifrar cómo salir de allí, pero yo sabía que no era así, sabía que nunca podríamos ser otra cosa excepto que esos culpables por completo imperdonables.

OCHO DÍAS DESPUÉS

El martes tuvimos clases por primera vez. *Madame* O'Malley pidió un minuto de silencio al inicio de la clase de Francés, una clase que siempre se caracterizaba por tener largos periodos de silencio, y luego nos preguntó cómo nos sentíamos.

—Horrible —dijo una chica.

—En *français* —replicó *madame* O'Malley—, en *français*.

Todo me parecía igual pero más sereno: los Guerreros Semaneros seguían sentados en las bancas de afuera de la biblioteca, pero su chismorreo era tranquilo, reticiente. En la cafetería se escuchaba el sonido habitual de las bandejas de plástico al golpear contra las mesas de madera y de los tenedores al raspar los platos, pero las conversaciones eran silenciosas.

Sin embargo, más que la falta de ruido de todos los demás estaba el silencio en donde debería haber estado ella, la Alaska burbujeante, vivaz, la narradora de historias; en vez de ello, se sentía como esos momentos en que se había introyectado, cuando se rehusaba a contestar preguntas de *cómo* o *por qué*, sólo que esta vez era para siempre.

El Coronel se sentó junto a mí en la clase de Religión, suspiró y dijo:

—Apestas a humo, Gordo.

—Pregúntame si me importa un comino.

El doctor Hyde entró cojeando entonces a la clase, con nuestros exámenes finales bajo un brazo. Se sentó, respiró con dificultad varias veces y empezó a hablar.

—Por ley, los padres no deberían sepultar a sus hijos —dijo—. Y alguien debería hacer que se cumpliera. Este semestre, continuaremos estudiando las tradiciones religiosas que les presenté este otoño. Pero no duden que las preguntas que haremos serán ahora más cercanas a su vida que hace unos días. Lo que nos sucede después de morir, por ejemplo, ya no es una pregunta de mero interés filosófico. Es una pregunta que debemos hacer sobre nuestra compañera de clase. Y cómo vivir a la sombra del dolor no es algo desconocido para la exploración de budistas, cristianos y musulmanes. Las preguntas del pensamiento religioso se han vuelto, sospecho, personales.

Revolvió nuestros exámenes, sacando uno de la pila que tenía enfrente.

—Aquí tengo el examen final de Alaska. Recordarán que se les pidió escribir sobre cuál es la pregunta más importante que enfrentan las personas y la manera en que las tres tradiciones que estamos estudiando este año abordan esa pregunta. Ésta era la pregunta de Alaska.

Con un suspiro, se agarró de la silla y la usó para ayudarse a levantar; luego escribió en el pizarrón: "¿Cómo saldremos de este laberinto de sufrimiento?": A. Y.

—Voy a dejar eso ahí por el resto del semestre —dijo—. Porque todos los que alguna vez han perdido su camino en la vida han experimentado la insistencia de esa pregunta. En algún momento, todos miramos arriba y nos damos cuenta de que estamos perdidos en un laberinto. Y no quiero que olvidemos a Alaska, no quiero que olvidemos que incluso cuando el material que estudiamos pareciera aburrido, estamos intentando conocer la manera en que las personas han respondido a esa pregunta y a las preguntas que cada uno de ustedes planteó en su ensayo, la manera en que distintas tradiciones han llegado a un acuerdo con lo que Chip, en su trabajo final, llamó "la suerte podrida que tiene la gente en la vida".

Hyde se sentó.

—Así qué, ¿cómo van?

El Coronel y yo nos quedamos callados, mientras una serie de personas que no conocían a Alaska exaltaban sus virtudes y declaraban sentirse devastadas. Al principio, me molestó. No quería que la gente que ella no conocía, y la gente que le caía mal, se sintiera triste. A ellos nunca les había importado y ahora actuaban como si hubiera sido una hermana. Pero supongo que yo tampoco la conocía por completo. Si lo hubiera hecho, habría sabido qué quiso decir con "¿Continuamos luego?" Y si me hubiera importado tanto como tenía que haber sido, como pensé que me importaba, ¿por qué la había dejado ir?

Así que no me molestaban, en realidad. Pero junto a mí, el Coronel respiraba lenta y profundamente por la nariz, como un toro a punto de embestir.

De hecho, miró arriba cuando una Guerrera Semanera, Brooke Blakely, cuyos padres habían recibido un reporte de progreso cortesía de Alaska, dijo:

—Me da tristeza nunca haberle dicho que la quería. Simplemente no entiendo por qué.

—Eso es pura mierda —dijo el Coronel mientras caminábamos a la cafetería—. Como si a Brooke Blakely le importara un cacahuate Alaska.

—Si Brooke Blakely muriera, ¿no estarías triste? —pregunté.

—Supongo, pero no me andaría lamentando por no haberle dicho que la quería. No la quiero. Es una idiota.

Pensé que todos los demás tenían una mejor excusa para afligirse que nosotros —después de todo, ellos no la habían matado— pero yo sabía que intentar hablar con el Coronel cuando estaba enojado no era buena idea.

NUEVE DÍAS DESPUÉS

—Tengo una teoría —dijo el Coronel cuando entré a la habitación después de un desdichado día de clases.

El frío había empezado a ceder, pero el encargado de la calefacción todavía no se enteraba, así que los salones estaban demasiado calientes y sofocantes y yo sólo quería meterme en la cama y dormir hasta que llegara el momento de volver a hacerlo todo de nuevo.

—Te extrañamos en clase hoy —observé al sentarme en la cama. El Coronel estaba sentado en su escritorio, encorvado sobre un cuaderno. Me acosté y me tapé hasta la cabeza con los cobertores, pero eso no desmotivó al Coronel.

—Sí, pero estaba ocupado discurriendo la teoría, que es del todo improbable, lo admito, pero es factible. Escucha. Ella te besa. Esa noche, alguien llama. Jake, supongo. Se pelean, por el engaño o por otra cosa, quién sabe. Así que ella se siente perturbada y quiere ir a verlo. Regresa a la habitación llorando, y nos dice que la ayudemos a salir de la escuela. Y está toda sacada de onda porque, no sé, quizá porque, si no lo puede ir a visitar, Jake romperá con ella. Ésa es sólo una mera hipótesis. Así que ella sale de la escuela, tomada y toda molesta, y está furiosa con ella misma por lo que quiera que sea; va manejando sola, ve la patrulla y de pronto todo encaja: el final a su misterio laberíntico la está mirando de frente y sólo lo hace "derechito y rápido"; tan sólo se dirige hacia la patrulla y nunca gira el volante para evadirla no porque esté borracha sino porque se mató ella misma.

—Eso es ridículo. Ella no estaba pensando en Jake ni peléandose con Jake. Estaba fajando conmigo. Yo intenté sacar a colación a Jake, pero ella me calló.

—Entonces, ¿quién la llamó?

Pateé mi edredón y, con el puño apretado, golpeé la mano contra la pared con cada sílaba mientras decía:

—¡No! ¡Lo! ¡Sé! Y ¿sabes qué?, no importa. Está muerta. Carajo, ¿el brillante Coronel va a inventar algo que la haga estar menos muerta?

Pero claro que importaba. Por eso seguí golpeando nuestras paredes de bloque de concreto y las preguntas habían flotado bajo la superficie por una semana. ¿Quién había llamado? ¿Qué estaba mal? ¿Por qué se fue? Jake no había asistido a su funeral. Ni tampoco nos había hablado para decirnos que lo sentía mucho, ni para preguntarnos lo que había sucedido. Tan sólo desapareció y, por supuesto, yo me preguntaba sobre ello. Me había preguntado si ella tenía la intención de sostener la promesa de que continuaría. Me preguntaba quién había llamado, por qué, y qué la había perturbado tanto. Pero prefería preguntarme a obtener respuestas con las que no pudiera vivir.

—Entonces, quizá iba para allá a romper con Jake —dijo el Coronel; su voz de pronto sonó más apacible. Se sentó en la esquina de mi cama.

—No lo sé. En realidad no lo quiero saber.

—Sí, bueno —dijo—. Yo sí quiero saber. Porque si sabía lo que estaba haciendo, Gordo, nos hizo sus cómplices. Y la detesto por ello. Digo, por Dios, míranos. Ya no podemos hablar con nadie. Así que escucha; hice un plan: Uno. Hablar con los testigos visuales. Dos. Averiguar qué tan borracha estaba. Tres. Descifrar a dónde iba y por qué.

—Yo no quiero hablar con Jake —dije con indiferencia, resignado a la planeación incesante del Coronel—. Si él sabe, de plano no quiero hablar con él. Y si no sabe, no quiero fingir que esto no sucedió.

El Coronel se puso de pie y suspiró.

—¿Sabes qué, Gordo? Me siento mal por ti. De verdad. Sé que la besaste y sé que estás deshecho por ello. Pero honestamente, cállate. Si Jake sabe, no lo vas a empeorar. Y si no sabe, no lo averiguará. Así que deja de preocuparte por tu maldito ser por un minuto y piensa en tu amiga muerta. Lo siento. Pero éste ha sido un largo día.

—Está bien —dije, jalando los cobertores de nuevo sobre mi cabeza—. Está bien —repetí. Y, como fuera, estaba bien. Tenía que estarlo. No podía darme el lujo de perder al Coronel.

TRECE DÍAS DESPUÉS

Debido a que nuestra fuente principal de transporte vehicular estaba enterrada en Vine Station, Alabama, el Coronel y yo nos vimos forzados a caminar al Departamento de Policía de Pelham en busca de testigos visuales.

Nos fuimos después de cenar en la cafetería, con la noche cayendo de prisa y temprano, y caminamos lenta y penosamente por la autopista 119 dos kilómetros y medio antes de llegar a un edificio de estuco de un piso situado entre una Casa de los Waffles y una gasolinera.

Adentro, un escritorio largo que le llegaba al plexo solar al Coronel nos separaba de la estación de policía como tal, donde había tres oficiales uniformados sentados en tres escritorios; todos ellos hablaban por teléfono.

—Soy el hermano de Alaska Young —anunció el Coronel con decisión—. Y quiero hablar con el policía que la vio morir.

Un hombre delgado, pálido, con una barba rubia rojiza habló rápido por la bocina del teléfono y luego colgó.

—Yo la vi —dijo—. Ella golpeó mi patrulla.

—¿Podemos hablar con usted afuera? —preguntó el Coronel.

—Ajá.

El policía tomó un saco y se nos acercó; podía ver las venas azules a través de la piel translúcida de su rostro. Para ser policía, no parecía salir mucho. El Coronel encendió un cigarro.

—¿Tienes diecinueve años? —preguntó el policía—. En Alabama, te puedes casar a los dieciocho (catorce con el permiso de papá y mamá) pero debes tener diecinueve para fumar.

—Entonces múlteme. Sólo necesito saber qué vio.

—Casi siempre trabajo de seis a doce, pero ese día tenía el turno de medianoche. Recibimos una llamada sobre un camión que se había doblado y como yo estaba como a un kilómetro y medio, me dirigí allí. Todavía estaba dentro de la patrulla y de reojo había visto las luces; yo tenía las luces encendidas y prendí la sirena, pero las luces seguían aproximándose hacia mí y me bajé a toda velocidad; salí corriendo y ella me dio con todo. He visto muchas cosas, pero nunca había visto eso. No se movió. No frenó. Simplemente se fue con todo. Yo no estaba ni a tres metros de la patrulla cuando la golpeó. Pensé que me iba a morir, pero aquí estoy.

Por primera vez, la teoría del Coronel parecía factible. ¿No escuchó la sirena? ¿No vio las luces? "Estaba lo suficientemente sobria para besar bien", pensé. Seguro estaba lo suficientemente sobria para girar el volante.

—¿No vio su rostro antes de que golpeara la patrulla? ¿Estaba dormida? —preguntó el Coronel.

—Eso no te lo puedo decir. No la vi. No hubo mucho tiempo.

—Entiendo. ¿Ya estaba muerta cuando usted llegó al coche?

—Yo... yo hice todo lo que pude. Corrí directo hacia ella, pero el volante... bueno, yo metí la mano así, pensando que sí podía liberarla del volante, pero no había manera de sacarla viva del carro. Le aplastó bastante el pecho, ¿ven?

La imagen me sobresaltó.

—¿Dijo algo ella? —pregunté.

—Ya se había ido, hijo —murmuró, meneando la cabeza, y con eso mis esperanzas de últimas palabras se desvanecieron.

—¿Usted piensa que fue un accidente? —preguntó el Coronel conmigo de pie junto a él; mis hombros se encorvaban, deseaba un cigarro, pero me ponía nervioso que él fuera tan audaz.

—He sido oficial aquí durante veintiséis años y he visto a más borrachos de los que pueden contar, pero nunca había visto a alguien tan borracho como para que no pudiera girar el volante. Aunque, no lo sé, el forense dijo que había sido un accidente, y quizá lo fue. Ése no es mi campo, ¿saben? Yo supongo que eso está entre ella y el Señor ahora.

—¿Qué tan borracha estaba? Digo, ¿le hicieron alguna prueba?

—Sí. Su índice de alcohol era de .24. Eso es estar borracha, sin lugar a dudas. Muy borracha.

—¿Encontraron cualquier otra cosa en el carro? —preguntó el Coronel—. ¿Cualquier cosa, digamos rara, que usted recuerde?

—Recuerdo folletos de universidades, lugares en Maine, Ohio y Texas. Pensé para mis adentros que esa chica debía ser de Culver Creek y que era muy triste ver a una chica así que esperaba ir a la universidad. Es una verdadera lástima. Y las flores. Había flores en el asiento de atrás. Como de una florería. Tulipanes.

¿Tulipanes? De inmediato pensé en los tulipanes que Jake le había enviado.

—¿Eran blancos? —pregunté.

—Ciertamente lo eran —respondió el policía.

¿Por qué se habría llevado los tulipanes? Pero el policía no tendría una respuesta para eso.

—Espero que encuentren lo que están buscando. Lo he pensado un tanto, porque nunca había visto algo así antes. He pensado mucho; me he preguntado, ¿si hubiera encendido el motor de la patrulla rápidamente y me hubiera quitado de allí, a ella le habría sucedido algo? Quizá habría habido tiempo. No hay manera de saberlo ahora. Pero a mí no me importa si fue un accidente o no. Es una enorme lástima, de cualquier manera.

—No había nada que pudiera hacer —dijo el Coronel suavemente—. Usted hizo su trabajo y lo apreciamos.

—Bueno. Gracias. Sigan su camino, cuídense y avísenme si tienen más preguntas. Ésta es mi tarjeta por si necesitan algo.

El Coronel tomó la tarjeta y emprendimos la caminata a casa.

—Tulipanes blancos —dije—. Los tulipanes de Jake. ¿Por qué?

—Una vez, el año pasado, ella, Takumi y yo estábamos en el Agujero para fumar y había una pequeña margarita blanca en la orilla del arroyo; de pronto ella saltó al agua, y con el agua a la cintura, cruzó vadeando al otro lado y la agarró. Se la puso detrás de la oreja, y cuando le pregunté por qué lo había hecho, dijo que sus papás siempre le ponían flores blancas en el pelo cuando era niña. Quizá quería morir con flores blancas.

—Quizá se las iba a devolver a Jake —dije.

—Quizá. Pero ese policía me acaba de convencer de que esto pudo haber sido un suicidio.

—Quizá sólo deberíamos dejarla descansar en paz —comenté frustrado. Me parecía que nada de lo que pudiéramos encontrar mejoraría las cosas, y no podía sacar de mi cabeza la imagen del volante incrustado en su pecho, su pecho "bastante aplastado" al tiempo que ella succionaba una última respiración que no llegaría, y no, esto no estaba mejorando las cosas.

—¿Y si lo hizo, entonces qué? —le pregunté al Coronel—. Eso no nos hace menos culpables. Todo lo que hace es convertirla en una perra horrorosa, egoísta.

—Dios mío, Gordo. ¿Recuerdas el tipo de persona que era en realidad? ¿Recuerdas que podía ser una perra egoísta? Eso era parte de ella y solías conocerla. Es como si ahorita sólo te importara la Alaska que inventaste.

Aceleré el paso, caminando adelante del Coronel, en silencio. Y él no podía saberlo, porque no fue la última persona a la que besó, porque no se había quedado con una promesa sin cumplir, porque no era yo. "Al cuerno con esto", pensé y, por primera vez, me imaginé volver a casa, abandonar el Gran quizá a cambio de la ya conocida comodidad de los amigos de la escuela. Cualesquiera que fueran sus faltas, mis amigos de la escuela en Florida nunca se me habían muerto así.

Después de una distancia considerable, el Coronel trotó hasta alcanzarme y dijo:

—Tan sólo quiero que todo vuelva a ser normal. Tú y yo. Normal. Divertido. Simplemente normal. Y me parece que si supiéramos...

—De acuerdo —lo interrumpí—. Bien. Seguiremos buscando entonces.

El Coronel meneó la cabeza, pero luego sonrió.

—Siempre he apreciado tu entusiasmo, Gordo. Y fingiré por un momento que todavía lo conservas hasta que regrese. Ahora vayamos a casa y averigüemos porqué la gente se despacha de esta vida.

CATORCE DÍAS DESPUÉS

Éstas son las señales de advertencia de suicidio que encontramos el Coronel y yo en Internet:

Previos intentos de suicidio.

Amenaza verbal de suicidarse.

Regalar objetos queridos.

Coleccionar y platicar sobre métodos de suicidio.

Expresiones de falta de esperanza y de ira hacia uno mismo y/o hacia el mundo.

Escribir, hablar, leer y dibujar sobre la muerte y/o la depresión.

Sugerir que la persona no sería extrañada si no estuviera.

Autolesiones.

Pérdida reciente de un amigo o miembro de la familia por medio de la muerte o el suicidio.

Deterioro súbito y drástico en el desempeño académico.

Desórdenes en la alimentación, insominio, dormir de más, dolores de cabeza crónicos.

Uso (o uso incrementado) de sustancias para alterar la mente.

Pérdida de interés en el sexo, pasatiempos y otras actividades que antes se disfrutaban.

Alaska presentaba dos de esas señales de advertencia.

Había perdido, si bien no recientemente, a su madre. Y su manera de tomar, que siempre había sido constante, definitivamente se había incrementado en el último mes de su vida. Sí hablaba acerca de la muerte en tono de broma, pero siempre parecía hacerlo a medias.

—Yo hago bromas sobre la muerte todo el tiempo —dijo el Coronel—. La semana pasada hice una broma sobre colgarme con una corbata. Y eso no significa que me vaya a dar cuello. Así que eso no cuenta. Y no regaló nada y sin duda alguna no perdió interés en el sexo. A ella tendría que gustarle enormemente el sexo para fajar con tu flacucho trasero.

—Qué gracioso —dije.

—Yo lo sé. Dios, soy un genio. Y sus calificaciones eran buenas. Y no recuerdo haberla oído hablar sobre suicidarse.

—Una vez, con los cigarros, ¿recuerdas? "Todos ustedes fuman para gozarlo. Yo fumo para morir."

—Ésa era una broma.

Pero cuando me insistía el Coronel, quizá para probarle que podía recordar a Alaska como en verdad era y no sólo como yo quería que hubiera sido, la conversación volvía a esos momentos cuando ella podía ser mala y malhumorada, cuando no tenía ganas de responder preguntas sobre *cómo, cuándo, por qué, quién* o *qué.*

—Podía parecer tan enojada —pensé en voz alta.

—Qué, ¿y yo no puedo? —replicó el Coronel—. Yo estoy bastante enojado, Gordo. Y tú tampoco has sido el retrato mismo de la placidez últimamente, y no por eso te vas a despachar. Espera, ¿o sí?

—No —dije. Y quizá era que Alaska no podía meter el freno y yo no podía meter el acelerador. Quizá sólo tenía un tipo raro de valentía que a mí me faltaba, pero no.

—Es bueno saberlo. Así que ella subía y bajaba, de fuego y azufre a humo y cenizas. Pero en parte, cuando menos este año, fue todo el asunto de Marya. Mira, Gordo, evidentemente no estaba pensando en suicidarse cuando estaba fajando contigo. Después de eso, durmió hasta que sonó el teléfono. Así que decidió suicidarse en algún momento entre ese teléfono que sonaba y el instante en que se estrelló, o fue un accidente.

—Pero ¿para qué esperarte hasta estar a diez kilómetros de la escuela para morir? —pregunté.

Suspiró y meneó la cabeza.

—A ella le gustaba ser misteriosa. Quizá así fue como lo quiso.

Me reí entonces y el Coronel preguntó:

—¿Qué pasa?

—Estaba pensando: "¿Por qué te estrellas con una patrulla con las luces encendidas?" y luego pensé: "Bueno, ella detestaba a las figuras de autoridad".

El Coronel se rio.

—Miren eso. ¡El Gordo hizo un chiste!

Se sentía casi normal. Luego, mi distanciamiento del accidente en sí pareció evaporarse y me encontré de nuevo en el gimnasio, oyendo la noticia por primera vez, con las lágrimas del Águila escurriéndose sobre sus pantalones. Miré al Coronel y pensé en todas las horas que habíamos pasado en este sofá de hule espuma en las últimas dos semanas, todo lo que ella había arruinado. Demasiado furioso para llorar, dije:

—Esto sólo está logrando que la deteste. No la quiero detestar. Y, ¿de qué sirve si es todo lo que ella está consiguiendo? —negándose todavía a responder las preguntas de *cómo* y *por qué*, insistiendo en su aura de misterio.

Me incliné hacia el frente, con la cabeza entre las rodillas, y el Coronel puso una mano en mi espalda.

—La cosa es que siempre hay respuestas, Gordo.

Luego empujó el aire entre sus labios fruncidos y se podía oír en forma clara el estremecimiento molesto en su voz conforme repetía su frase:

—Siempre hay respuestas. Sólo tenemos que ser lo suficientemente listos. En Internet encontramos que el suicidio por lo general implica planes bien estructurados. Así que está claro que no se suicidó.

Me sentí avergonzado de seguirme deshaciendo dos semanas después, cuando el Coronel podía tomar su medicina de manera tan estoica, y me senté derecho.

—Está bien —respondí—. No fue suicidio.

—Aunque ciertamente no tiene sentido como accidente —aseveró el Coronel.

Nos interrumpió Holly Moser, la chica de último año que yo conocía básicamente por haber visto sus autorretratos desnuda durante el día de Acción de Gracias con Alaska. Holly se juntaba con los Guerreros Semaneros, lo cual explica por qué había cruzado con ella como dos palabras en mi vida, pero se apareció sin tocar la puerta y dijo que había tenido un indicador místico de la presencia de Alaska.

—Estaba en la Casa de los Waffles y de pronto todas las luces se apagaron, excepto la luz de mi cabina, que empezó a parpadear. Estaba encendida un segundo y luego se apagaba un ratito y luego se volvía a encender un par de segundos y luego se apagaba de nuevo. Y me di cuenta ¿saben? que era Alaska. Creo que estaba tratando de comunicarse conmigo en código Morse. Pero, bueno, yo no sé el código Morse. Ella probablemente no sabía eso. De todos modos, pensé que ustedes deberían saberlo.

—Gracias —dije cortésmente y ella permaneció parada allí un ratito, mirándonos, con la boca abierta como si fuera a decir algo, pero el Coronel la miraba con los ojos medio cerrados, la mandíbula proyectada y con dificultades para contener su fastidio. Entendí cómo se sentía: yo no creía en fantasmas que utilizaran el código Morse para comunicarse con personas con las que nunca se habían llevado bien. Y a mí me desagradaba la posibilidad de que Alaska le diera paz a alguien que no fuera yo.

—Dios, a la gente así no deberían darle oportunidad de vivir —dijo el Coronel después de que se fue.

—Eso fue muy tonto.

—No sólo tonto, Gordo. Quiero decir, como si Alaska le fuera a hablar a Holly Moser. ¡Dios! No puedo soportar a estos dolientes falsos. Perra estúpida.

Casi le dije que Alaska no querría que él llamara perra a ninguna mujer, pero no tenía caso discutir con el Coronel.

VEINTE DÍAS DESPUÉS

Era domingo y el Coronel y yo tomamos la decisión de no ir a la cafetería a cenar; en vez de ello, caminamos fuera de los terrenos de la escuela por la autopista 119 a la tienda Sunny Convenience Kiosk, donde disfrutamos una comida balanceada que consistía en dos pays cremosos de avena. Setecientas calorías. Suficiente para nutrir a un hombre medio día. Nos sentamos en la cuneta frente a la tienda y yo me terminé la cena de cuatro mordidas.

—Mañana voy a llamar a Jake, para que sepas. Takumi me dio su teléfono.

—Bien —dije.

Oí una campana sonar detrás de mí y volteé hacia la puerta que se abría.

—Holgazanes —dijo la mujer que nos acababa de vender la cena.

—Estamos comiendo —dijo el Coronel.

La mujer meneó la cabeza y ordenó, como si fuéramos perros:

—Váyanse.

Así que caminamos a la parte de atrás de la tienda y nos sentamos junto al basurero apestoso, fétido.

—Basta de decir "bien", Gordo. Eso es ridículo. Voy a llamar a Jake, voy a escribir todo lo que diga y luego nos vamos a sentar juntos a tratar de descifrar lo que sucedió.

—No. Tú estás solo en eso. Yo no quiero saber lo que sucedió entre ella y Jake.

—¿Por qué no? —el Coronel suspiró y sacó una cajetilla de cigarros del bolsillo de sus pantalones de mezclilla, patrocinada por el Fondo del Gordo.

—¡Porque no quiero! ¿Tengo que proporcionarte un análisis a detalle de cada una de las decisiones que tome?

El Coronel prendió un cigarro con un encendedor que yo había comprado y le dio una fumada.

—Como quieras. Necesita descifrarse y yo necesito tu ayuda para hacerlo, porque entre los dos la conocíamos bastante bien.

Me puse de pie y lo miré, sentado satisfecho, y él sopló un hilito de humo hacia mi rostro. Tuve suficiente.

—¡Estoy cansado de seguir órdenes, imbécil! No me voy a sentar contigo a discutir lo mejor de su relación con Jake, maldita sea. No lo puedo decir más claro: no quiero saber sobre ellos. ¡Ya sé lo que ella me dijo y eso es todo lo que necesito saber y tú puedes ser un güey condescendiente todo el tiempo que quieras, pero yo no me voy a quedar ahí a platicar contigo sobre cuánto amaba a Jake! Ahora, dame mis cigarros.

El Coronel tiró el paquete al suelo y se levantó como rayo, con mi suéter aferrado de su puño, intentando, pero sin conseguirlo, jalarme para que quedara a su altura.

—¡Ni siquiera te importa ella! —gritó. Todo lo que te importa son tú y tu preciosa fantasía de que tuviste con Alaska un maldito romance secreto, que ella iba a dejar a Jake por ti y que ustedes vivirían felices para siempre. Pero ella besó a muchos chicos, Gordo. Y si estuviera aquí, ambos sabemos que seguiría siendo la novia de Jake y que no habría nada sino drama entre ustedes, no amor, no sexo, sólo tú suspirando por ella y ella diciendo cosas como: "Eres lindo, Gordo, pero amo a Jake". Si te amaba tanto, ¿por qué te dejó esa noche? Y si tú la amabas tanto, ¿por qué la ayudaste a que se fuera? Yo estaba borracho. A ver, dime, ¿cuál es tu excusa?

El Coronel soltó mi suéter, yo extendí la mano y levanté los cigarros. Sin gritar, sin apretar los dientes y sin que las venas me pulsaran en la frente, lo hice con calma, lo miré y le dije:

—¡Vete al diablo!

El grito con las venas que me pulsaban llegó después, cuando ya había trotado por la autopista 119, por el círculo de dormitorios, a lo largo del campo de futbol y por el camino de tierra hasta el puente, cuando me encontré en el Agujero para fumar. Tomé una silla azul y la lancé contra el muro; el ruido del plástico sobre el concreto hizo eco bajo el puente al caer la silla a un costado; luego me recosté con las rodillas colgando sobre el precipicio y grité.

Grité porque el Coronel era un bastardo autosuficiente, condescendiente, y porque estaba en lo cierto, porque yo quería creer que había tenido un romance secreto con Alaska. ¿Me amaba? ¿Habría dejado a Jake por mí? ¿O acaso fue otro momento impulsivo de Alaska? No me bastaba con ser el último tipo al que había besado. Quería ser el último al que había amado. Y sabía que no lo era. Lo sabía y la odiaba por ello. La odiaba por no quererme. La odiaba por irse esa noche y me odiaba a mí también, no sólo porque la dejé ir sino porque, si hubiera sido suficiente para ella, no habría querido ni irse. Se habría quedado conmigo, hubiera hablado y llorado, y yo la habría escuchado y le hubiera besado las lágrimas mientras se arremolinaban en sus ojos.

Me volví y miré una de las sillitas azules de plástico tirada de costado. Me pregunté si llegaría el día en que ya no pensara en Alaska, me pregunté si podría esperar a que llegara el momento en que se convirtiera en un recuerdo distante, y la recordara únicamente en el aniversario de su muerte o quizá un par de semanas después, recordando sólo después de haber olvidado.

Sabía que llegaría a conocer a más personas que morirían. Los cuerpos se van apilando. ¿Habría un espacio en mi recuerdo para cada uno de ellos o me olvidaría un poquito de Alaska todos los días durante el resto de mi vida?

Una vez, a principios del año, ella y yo habíamos caminado al Agujero para fumar y ella saltó al arroyo de Culver Creek con las chanclas puestas. Atravesó el arroyo, calculando cuidadosamente sus pasos sobre las piedras con líquenes y se sujetó de un palo henchido de agua de la orilla del arroyo. Mientras yo permanecía sentado sobre el concreto, con los pies que me colgaban hacia el agua, ella volteaba rocas con el palo y señalaba los asustadizos crustáceos de agua dulce.

—Los hierves y luego les chupas las cabezas por dentro —decía, entusiasmada—. Ahí es donde está todo lo bueno, en las cabezas.

Ella me enseñó todo lo que sabía sobre crustáceos de agua dulce y cómo besar y el vino rosado y la poesía.

Ella me hizo diferente.

Encendí un cigarro y lo escupí hacia el arroyo.

—No puedes sólo hacerme diferente y luego irte —le dije en voz alta—. Porque yo estaba bien antes, Alaska. Estaba bien conmigo, con las últimas palabras y los amigos de la escuela, y tú no puedes venir, hacerme diferente y luego morirte.

Pues ella había personificado el Gran quizá, me había demostrado que valía la pena dejar atrás mi pequeña vida por una mayor, y ahora se había ido llevándose con ella mi fe en el quizá. Yo podía llamar a todo lo que hiciera y dijera el Coronel "bien". Podía tratar de fingir que no me importaba más, pero nunca volvería a ser cierto. No puedes hacerte una persona importante y luego morirte, Alaska, porque ahora soy irrecuperablemente diferente y siento haberte dejado ir, sí, pero fue tu elección.

Tú me dejaste sin quizá, atorada en tu maldito laberinto. Y ahora ya ni sé si elegiste la manera derechita y rápida de salirte, si me dejaste así a propósito. Entonces, nunca te conocí, ¿o sí? No recuerdo, porque nunca lo supe.

Y al ponerme de pie para caminar de vuelta a casa y hacer las paces con el Coronel, intenté imaginarla en esa silla, pero no pude recordar si había cruzado las piernas. Aún la podía ver sonreírme con la mitad de la sonrisa burlona de la Mona Lisa, pero no imaginaba sus manos lo suficientemente bien para verla sosteniendo un cigarro. Necesitaba conocerla en realidad, porque necesitaba más para recordar. Antes de que pudiera empezar el vergonzoso proceso de olvidar el *cómo* y el *porqué* de su vida y su muerte, necesitaba saberlo: *Cómo. Por qué. Cuándo. Dónde. Qué.*

En la habitación 43, después de disculpas rápidamente ofrecidas y aceptadas, el Coronel dijo:

—Hemos tomado una decisión táctica de aplazar la llamada a Jake. Vamos a perseguir otras instancias antes de eso.

VEINTIÚN DÍAS DESPUÉS

Mientras el doctor Hyde entraba arrastrando los pies al salón de clases a la mañana siguiente, Takumi se sentó junto a mí y anotó en la orilla de su cuaderno: "Comida en McIncomible".

Garabateé *ok* en mi propio cuaderno y luego le di la vuelta hasta llegar a una hoja en blanco, al tiempo que el doctor Hyde empezaba a hablar sobre sufismo, la secta mística del islam. Yo había leído el texto de pasadita (había estado estudiando sólo lo suficiente para no reprobar), pero en esa lectura rápida había encontrado unas últimas palabras fantásticas. Un sufí pobre, vestido con andrajos, entró a una joyería propiedad de un rico mercader, y le preguntó:

—¿Sabes cómo vas a morir?

—El mercader contestó:

—No. Nadie sabe cómo va a morir.

Y el sufí dijo:

—Yo sí.

—¿Cómo? —preguntó el mercader.

El sufí se recostó, cruzó los brazos, dijo "así" y murió, ante lo cual el mercader renunció de inmediato a su tienda para vivir una vida humilde en busca del tipo de riqueza espiritual que el sufí muerto había adquirido.

Pero el doctor Hyde contaba una historia diferente, una que me había saltado.

—Karl Marx llamó a la religión "el opio de las masas". El budismo, sobre todo de la manera como se practica popularmente, promete mejoría a través del karma. El islam y el cristianismo prometen el paraíso eterno a los fieles. Y ése es un opiato poderoso, sin duda, la esperanza de una mejor vida posterior. Pero hay una historia sufí que desafía la noción de que la gente cree únicamente porque necesita un opiato. A Rabi'a al-Adawiya, una gran mujer santa del sufismo, se le vio correr por las calles de su pueblo, Basra, cargando una antorcha en una mano y una cubeta de agua en la otra. Cuando alguien le preguntó qué hacía, respondió: "Voy a verter esta cubeta de agua sobre las llamas del infierno; luego usaré esta antorcha para quemar las puertas del paraíso para que la gente no ame a Dios por desear el cielo ni por temor al infierno, sino porque es Dios".

Una mujer tan fuerte que hace arder el cielo e inunda el infierno. "A Alaska le habría gustado esta mujer Rabi'a", escribí en mi cuaderno. Pero, aun así, la vida después de la vida me importaba. El cielo, el infierno y la reencarnación. Así como quería saber la manera en la que Alaska había muerto, quería saber en dónde estaba ahora, si es que lo estaba en algún lado. Me gustaba imaginarla mirando encima de nosotros, aún consciente de nosotros, pero me parecía una fantasía y en realidad nunca la había sentido, así como el Coronel había dicho en el funeral que ella no estaba allí, no estaba en ningún lado. Honestamente, no podía imaginarla como nada más que muerta, con su cuerpo podrido en Vine Station, el resto de ella sólo como un fantasma vivo únicamente en nuestro recuerdo. Al igual que Rabi'a, yo no pensaba que la gente debía creer en Dios sólo por el cielo y el infierno. Pero no sentía una necesidad de correr por todos lados con una antorcha. No puedes quemar un lugar inventado.

Después de clase, Takumi se dedicó a seleccionar una por una las papas a la francesa que le habían servido en McIncomible, comiéndose sólo las más crujientes. Sentí la pérdida total de ella; aún estaba aturdido ante la idea de que no sólo se había ido de este mundo sino de todos.

—¿Cómo has estado? —le pregunté.

—No muy bien. ¿Y tú? —contestó, con la boca llena de papas.

—No estoy bien —mordí la hamburguesa con queso. Me saqué un cochecito de plástico en mi Cajita Feliz, que estaba con las ruedas para arriba sobre la mesa. Rodé las ruedas.

—La extraño —dijo Takumi, haciendo a un lado su bandeja, desentendiéndose de las papas aguadas que quedaban.

—Sí. Yo también. Lo siento, Takumi —y lo sentía de la manera más amplia posible. Sentía que hubiéramos terminado así, rodando ruedas en un McDonald's. Sentía que la persona que nos había reunido ahora estaba muerta entre nosotros. Sentía haberla dejado morir. "Siento que no he hablado contigo porque no podías saber la verdad sobre el Coronel y yo, y yo detestaba estar cerca de ti y tener que fingir que mi dolor es un asunto poco complicado, aparentando que ella había muerto y que la extrañaba en vez de que ella había muerto por mi culpa."

—Yo también. Ya no andas con Lara, ¿o sí?

—No lo creo.

—Está bien. Ella medio se lo preguntaba.

La había estado ignorando, también ella comenzaba a ignorarme, así que imaginé que había terminado, pero quizá no.

—Bueno —le dije a Takumi—, no puedo... no lo sé, hombre. Es bastante complicado.

—Está bien. Ella lo entenderá. Seguro. Todo está bien.

—Okey.

—Escucha, Gordo, yo... eh, no lo sé. Apesta, ¿no?

—Sí.

VEINTISIETE DÍAS DESPUÉS

Seis días después, cuatro domingos después del último domingo, el Coronel y yo estábamos intentando dispararnos uno al otro con pistolas cargadas de pintura al tiempo que alcanzábamos los novecientos puntos con medio tubo.

—Necesitamos alcohol. Y necesitamos tomar prestado el alcoholímetro del Águila.

—¿Tomarlo prestado? ¿Sabes dónde está?

—Sí. ¿Nunca te ha hecho una prueba con él?

—Mmm. No. Piensa que soy un aburrido.

—Eres un aburrido, Gordo. Pero no vas a dejar que un detalle como ése te impida beber.

De hecho, no había vuelto a beber desde aquella noche, y no sentía ningún interés particular por reiniciar el hábito alguna vez en la vida.

Luego casi le doy un codazo al Coronel en la cara, al sacudir los brazos alocadamente como si contorsionarme en concordancia con el juego importara tanto como oprimir los botones adecuados en los momentos adecuados; era la misma ilusión del juego de video que siempre había engañado a Alaska. Pero el Coronel estaba tan concentrado en el juego que ni siquiera se dio cuenta.

—¿Tienes un plan exacto de cómo vamos a robarnos el alcoholímetro de la casa del Águila?

—Eres un desastre en este juego —me dijo el Coronel mientras me miraba.

Luego, sin voltear de nuevo a la pantalla, golpeó a mi patinador en las pelotas con un chorro de pintura azul.

—Pero, primero, tenemos que conseguir algo de licor, porque la "ambrosía" se agrió y mi conexión de alcohol está...

—¡Zas! Se fue —concluí.

Cuando abrí su puerta, Takumi estaba sentado en su escritorio con unos voluminosos audífonos que le rodeaban toda la cabeza, la cual sacudía al compás del ritmo. Parecía no saber que estábamos allí.

—Oye —dije, y nada.

—¡Takumi! —y nada.

—¡Takumi!

Volteó y se quitó los audífonos. Cerré la puerta detrás de mí y le pregunté:

—¿Tienes alcohol?

—¿Por qué?

—Eh, eh, porque queremos emborracharnos —respondió el Coronel.

—Fabuloso. Yo los acompaño.

—Takumi —dijo el Coronel—. Esto... Necesitamos hacer esto solos.

—No. Ya tuve suficiente de esa mierda —Takumi se puso de pie, se metió al baño y salió con una botella de Gatorade llena de un líquido claro.

—Lo guardo en el botiquín —dijo Takumi—. Por eso de que es medicina.

Se echó la botella a la bolsa y luego salió de la habitación, dejando la puerta abierta tras de él. Un momento después, asomó la cabeza de nuevo adentro, e imitando de manera brillante la voz mandona grave del Coronel, dijo:

—Cristo, ¿vienen o qué?

—Takumi —dijo el Coronel—, está bien. Mira. Lo que estamos haciendo es un poco peligroso y no quiero que te enredes en esto. Honestamente. Pero, escucha, a partir de mañana te contaremos todo.

—Estoy harto de toda esta mierda secreta. Ella era mi amiga también.

—Mañana. De verdad.

Sacó la botella de su bolsillo y me la lanzó. "Mañana", dijo.

—Yo no quiero que sepa —dije, conforme caminábamos de regreso a la habitación, con la botella de Gatorade guardada en el bolsillo de mi sudadera—. Nos va a detestar.

—Sí, bueno, pero nos va a detestar más si seguimos fingiendo que no existe —respondió el Coronel.

Quince minutos después, yo me encontraba parado afuera de la casa del Águila.

Abrió la puerta con una espátula en la mano, sonrió y dijo:

—Miles, entra. Me estaba haciendo un sándwich de huevo. ¿Quieres uno?

—No, gracias.

Mi función era mantenerlo alejado de su sala treinta segundos, para que el Coronel pudiera tomar el alcoholímetro sin ser detectado.

Tosí fuerte para que el Coronel supiera que no había moros en la costa. El Águila tomó su sándwich de huevo y le dio una mordida.

—¿A qué debo el placer de tu visita? —preguntó.

—Sólo quería decirle que el Coronel, quiero decir, Chip Martin, mi compañero de cuarto, usted sabe, la está pasando mal en la clase de Latín.

—Bueno, no está asistiendo a clase, según entiendo, y eso puede volver muy difícil el aprendizaje de la lengua.

Se acercó a mí. Volví a toser y me moví hacia atrás; el Águila y yo nos movíamos hacia su sala a manera de tango.

—Sí, bueno, es que se pasa toda la noche, todas las noches, pensando en Alaska.

Yo estaba sentado derecho, erguido, tratando de bloquear la vista del Águila de la sala con mis estrechos hombros.

—Ellos eran muy cercanos, usted sabe.

—Lo sé —dijo, y en la sala, la suela de los tenis del Coronel rechinaron en el suelo de madera dura. El Águila me miró con cara de pregunta y avanzó de manera lateral, pese a mí. Rápidamente pregunté:

—¿Está encendida esa hornilla? —y señalé la sartén.

El Águila giró, miró la hornilla que por supuesto no estaba encendida y luego corrió hacia la sala. Vacía. Se volteó hacia mí y me preguntó:

—¿Estás tratando de hacer algo, Miles?

—No, señor. De verdad. Sólo quería hablarle de Chip.

Arqueó las cejas, escéptico.

—Bueno, entiendo que esto sea una pérdida devastadora para los amigos cercanos de Alaska. Es horrible. No hay consuelo para este dolor, ¿no es verdad?

—No, no lo hay, señor.

—Siento simpatía por los problemas de Chip. Pero la escuela es importante. Alaska habría deseado, estoy seguro, que los estudios de Chip continuaran sin impedimentos.

"Estoy seguro", pensé. Le agradecí al Águila y me prometió un sándwich de huevo en un futuro, lo cual me puso nervioso, pues pensé que alguna tarde podría aparecer en nuestro cuarto con un sándwich de huevo en una mano, y nos encontraría *a)* fumando contra el reglamento, mientras el Coronel *b)* bebía leche con vodka de manera ilegal de una garrafa de galón.

A medio camino en el círculo de dormitorios, el Coronel corrió hacia mí.

—Eso estuvo bien pensado, con eso de "¿Está encendida esa hornilla?" Si no lo hubieras hecho, yo habría estado frito. Aunque creo que tendré que empezar a ir a las clases de Latín. Tonto Latín.

—¿Lo obtuviste?

—Sí —dijo—. Sí. Dios. Espero que no lo busque hoy en la noche. Aunque, claro, no podría sospechar nada. Pensaría: "¿Por qué robaría alguien un alcoholímetro?".

A las dos de la mañana, el Coronel se tomó el sexto trago de vodka, hizo una mueca y señaló desesperadamente la botella de refresco Mountain Dew que estaba yo tomando. Se la pasé y tomó un largo sorbo.

—Creo que no podré ir a la clase de Latín mañana —dijo. Farfullaba ligeramente, como si tuviera la lengua hinchada.

—Uno más —supliqué.

—Está bien. Pero es el último.

Vertió un trago de vodka en un vaso de papel, se lo tragó, frunció los labios y apretó las manos formando puños agarrotados.

—Oh, Dios, esto está mal. Es mucho mejor con la leche. Más vale que esto sea punto veinticuatro.

—Tenemos que esperar quince minutos después de tu último trago antes de probarlo —dije, como indicaban las instrucciones que había bajado de internet sobre el alcoholímetro—. ¿Te sientes borracho?

—Si estar borracho fuera como ser una galleta, entonces yo sería Nabisco.

Nos reímos.

—¡Chips Ahoy! habría sido más chistoso —dije.

—Perdón. No estoy en mis cinco sentidos.

Sostuve en la mano el alcoholímetro, un dispositivo delgado, plateado, del tamaño de un control remoto pequeño.

Debajo de una pantalla LCD había un agujerito.

Soplé en él para probarlo: 0.00 apareció. Supuse que estaba funcionando.

Después de quince minutos, se lo pasé al Coronel.

—Anda, sopla con fuerza al menos durante dos segundos —le ordené.

Alzó la cabeza y me miró.

—¿Eso fue lo que le dijiste a Lara en la sala de TV? Porque, Gordo, una mamada no tiene nada que ver con soplar.

—Cállate y sopla.

Con los pómulos inflados, el Coronel sopló con ganas en el agujero y la cara se le puso roja.

—Punto dieciséis. ¡Oh, no! —dijo el Coronel—. ¡Oh, Dios!

—Ya llevas dos tercios —le dije, para motivarlo.

—Sí, pero llevo tres cuartas partes del camino al vómito.

—Bueno, evidentemente es posible. Ella lo hizo. ¡Ándale! Tú puedes beber más que una chica, ¿no?

—Dame el Mountain Dew —dijo, estoicamente.

Luego, oí pasos afuera. Pasos. Habíamos esperado hasta la 1:00 de la mañana para apagar las luces, suponiendo que todos estarían dormidos desde hacía mucho (era una noche entre semana, después de todo). Pero había pasos. ¡En la madre! Y mientras el Coronel me miraba, confundido, le arrebaté el alcoholímetro y lo escondí entre los cojines de hule espuma del sofá; tomé el vaso de papel y la botella de Gatorade con vodka y los metí detrás de la MESA PARA CAFÉ, y con un movimiento tomé un cigarro de la cajetilla y lo encendí con la esperanza de que el olor a cigarro cubriera el olor del alcohol. Le di una bocanada al cigarro sin inhalarlo, tratando de llenar la habitación de humo, y estaba casi de vuelta en el sofá cuando sonaron tres toquidos rápidos en la puerta y el Coronel me miró, con los ojos bien abiertos; su futuro súbitamente tan poco prometedor pasaba ante sus ojos, y yo susurré: "llora" mientras el Águila giraba la manija.

El Coronel se encorvó hacia delante, con la cabeza entre las rodillas y los hombros temblando. Yo lo rodeé con el brazo mientras entraba el Águila.

—Lo siento —dije, antes de que el Águila pudiera decir nada—. La está pasando mal esta noche.

—¿Estás fumando? —preguntó el Águila—. ¿En tu habitación? ¿Cuatro horas después de apagarse las luces?

Solté el cigarro dentro de una lata de Coca-Cola medio vacía.

—Lo siento, señor. Sólo estoy tratando de mantenerme despierto con él.

El Águila se dirigió hacia el sofá y yo sentí que el Coronel empezaba a levantarse, pero lo detuve firmemente por los hombros, porque si el Águila olía el aliento del Coronel, con seguridad todo habría terminado.

—Miles —dijo el Águila—. Entiendo que ésta sea una época difícil para ti, pero respetarás las reglas de esta escuela o te inscribirás en otra parte. Te veré mañana en el Jurado. ¿Hay algo que pueda hacer por ti, Chip?

Sin alzar la vista, el Coronel respondió en una voz tambaleante, henchida de lágrimas:

—No, señor. Sólo agradezco que Miles esté aquí.

—Bueno, yo también estoy agradecido —dijo el Águila—. Quizá sea bueno que lo motives a que viva dentro de los confines de nuestras reglas, de manera que no arriesgue su lugar en esta escuela.

—Sí, señor —dijo el Coronel.

—Pueden dejar las luces prendidas hasta que estén listos para irse a dormir. Te veré mañana, Miles.

—Buenas noches, señor —dije, imaginándome al Coronel regresando a escondidas el alcoholímetro a la casa del Águila mientras a mí me arengaban en el Jurado. En el momento en que el Águila cerró la puerta tras él, el Coronel se puso de pie en un instante; aún nervioso por que el Águila pudiera estar afuera, me sonrió y me susurró:

—Eso fue una belleza.

—Aprendí del mejor —dije—. Ahora, bebe.

Una hora después, con la botella de Gatorade casi vacía, el Coronel alcanzó .24.

—¡Jesús, gracias! —exclamó y luego añadió—. Esto es terrible. Esto no es una borrachera divertida.

Me levanté e hice a un lado la MESA PARA CAFÉ, de manera que el Coronel pudiera andar a lo largo de la habitación sin tropezar contra ningún obstáculo y le dije:

—Está bien, ¿puedes ponerte de pie?

El Coronel empujó los brazos hacia el hule espuma del sofá y empezó a levantarse; sin embargo, luego cayó de espaldas, recostándose.

—El cuarto da vueltas —observó—. Voy a vomitar.

—No vomites. Eso arruinará todo.

Decidí darle una prueba de campo de sobriedad, como hacen los policías.

—Está bien. Ven acá y trata de caminar en línea recta.

Se rodó del sofá y cayó al suelo. Lo tomé por abajo de los brazos y lo sostuve. Lo coloqué en una posición entre dos losetas del piso de linóleo.

—Sigue esa línea de losetas. Camina derecho, de los dedos de los pies al talón.

Levantó una pierna y de inmediato se inclinó hacia el lado izquierdo, con los brazos como las aspas de un molino de viento. Dio un solo paso tambaleante, como el contoneo de un pato, ya que sus pies parecían incapaces de aterrizar uno directamente enfrente del otro.

Recobró el equilibrio brevemente, luego dio un paso hacia atrás y aterrizó en el sofá.

—Repruebo —dijo, dándolo por hecho.

—*Okey*. ¿Cómo está tu percepción de la profundidad?

—¿Mi perce qué?

—Mírame. ¿Ves uno? ¿Ves dos? Si fuera una patrulla, ¿podrías estrellarte accidentalmente conmigo?

—Todo da vueltas, pero creo que no. Esto está mal. ¿De verdad estaba así ella?

—En apariencia. ¿Podrías manejar así?

—Oh, Dios, no. No. No. De verdad estaba borracha, ¿no?

—Sí.

—Fuimos realmente estúpidos.

—Sí.

—Estoy dando vueltas. Pero no. Ninguna patrulla. Puedo ver.

—Ahí está tu evidencia.

—Quizá se quedó dormida. Yo me siento con mucho sueño.

—Lo averiguaremos —dije, tratando de jugar el papel que el Coronel siempre había jugado por mí.

—No esta noche —respondió—. Esta noche, vamos a vomitar un poquito y luego vamos a dormir la cruda.

—No te olvides de la clase de Latín.

—Cierto. Maldito Latín.

VEINTIOCHO DÍAS DESPUÉS

El Coronel llegó a la clase de Latín a la mañana siguiente.

—Me siento de maravilla ahorita, porque todavía estoy borracho. Pero que el cielo me ayude en un par de horas.

Yo hice un examen de Francés para el cual había estudiado un *petit peu*. Me salió bastante bien la parte de opción múltiple (con preguntas tipo "Selecciona el tiempo verbal") pero la pregunta de ensayo, en *Le Petit Prince*: "¿Cuál es el significado de la rosa?", me destanteó un poco.

Si hubiera leído *El principito* en inglés, español o francés, sospecho que esta pregunta habría sido muy fácil. Por desgracia, había pasado la noche emborrachando al Coronel. Así que respondí *Elle symbolise l'amour* ("Simboliza el amor"). *Madame* O'Malley nos había dejado una página entera para responder la pregunta, pero creí que la había respondido bien en tres palabras.

Me había mantenido bien en las clases de manera que obtuviera 9 y 8, así mis padres no se preocupaban, en realidad ya no me importaba. "¿El significado de la rosa?", pensé. "¿A quién le importa un comino?" "¿Cuál es el significado de los tulipanes blancos?" Ésa era una pregunta que valía la pena responder.

Después de que me dieron un sermón y diez horas de trabajo en el Jurado, regresé a la habitación 43 para encontrarme con que el Coronel le estaba contando todo a Takumi, bueno, todo excepto el beso. Entré cuando el Coronel decía:

—Así que la ayudamos a que se fuera.

—Ustedes soltaron los cohetes —dijo.

—¿Cómo sabes de los cohetes?

—He estado investigando un poco —respondió Takumi—. De cualquier modo, eso fue tonto. No debieron hacerlo. Pero todos la dejamos ir —dijo y me pregunté qué había querido decir con eso, pero no tuve tiempo de preguntar antes de que me dijera:

—¿Así que tú piensas que fue suicidio?

—Quizá —dije—. No veo cómo pudo haberle pegado a la patrulla por accidente a menos que hubiera estado dormida.

—Quizá iba a visitar a su padre —dijo Takumi—. Vine Station está en el camino.

—Quizá —dije—. Todo es un quizá, ¿no?

El Coronel buscó una cajetilla de cigarros en su bolsillo.

—Bueno, aquí hay otro: Quizá Jake tenga las respuestas —dijo—. Hemos agotado otras estrategias, así que lo llamaré mañana, ¿está bien?

Yo también quería respuestas, pero no a algunas preguntas.

—Sí, está bien —dije—. Pero mira, no me digas nada que no sea relevante. No quiero saber nada a menos que me vaya a ayudar a saber a dónde iba y por qué.

—Yo tampoco, de hecho —dijo Takumi—. Creo que algunas de esas cosas deberían permanecer privadas.

El Coronel metió una toalla bajo la puerta, encendió un cigarro y dijo:

—Está bien, chicos. Trabajaremos con base en lo que necesitemos saber.

VEINTINUEVE DÍAS DESPUÉS

Cuando caminaba a casa después de clases al día siguiente, vi al Coronel sentado en la banca junto al teléfono de monedas, anotando en una libreta balanceada sobre sus rodillas mientras acunaba el teléfono entre su oreja y su hombro.

Me apresuré a entrar en la habitación 43, en donde encontré a Takumi jugando en silencio el juego de carreras.

—¿Cuánto lleva en el teléfono? —le pregunté.

—No sé. Ya estaba allí cuando llegué, hace 20 minutos. Debe haberse saltado Matemáticas para Niños Inteligentes. ¿Por qué temes que Jake vaya a venir y te patee el trasero por dejar que ella se fuera?

—Como sea —dije, pensando: "Ésta es precisamente la razón por la que no debimos haberle dicho". Entré al baño, abrí la regadera y encendí un cigarro. Takumi entró un momento después.

—¿Qué sucede? —dijo.

—Nada, sólo quiero saber qué fue lo que le sucedió.

—¿En serio quieres conocer la verdad? ¿O quieres averiguar que ellos se habían peleado y ella iba a terminar con él e iba a regresar aquí a tus brazos y ustedes iban a hacer el amor dulce y ardientemente y a tener bebés genios que memorizaran últimas palabras y poesía?

—Si estás enojado conmigo, sólo dímelo.

—No estoy enojado por que la hayan dejado ir. Pero estoy cansado de que actúes como si fueras el único tipo que alguna vez la deseó. Como si tuvieras el monopolio de que te gustara —respondió Takumi.

Yo me puse de pie, levanté el asiento del wc y eché adentro mi cigarro sin terminar.

Lo miré un momento y luego dije:

—La besé esa noche, y tengo el monopolio de eso.

—¿Qué? —tartamudeó.

—La besé.

Abrió la boca como para decir algo, pero no dijo nada. Nos miramos uno al otro un rato y me sentí avergonzado de mí mismo por lo que parecía ser presunción; finalmente dije:

—Yo... mira, tú sabes cómo era. Quería hacer algo y lo hacía. Probablemente fui el tipo que estaba allí en el momento.

—Sí, bueno, yo nunca fui ese tipo —dijo—. Yo... bueno, Gordo, Dios sabe que no te puedo culpar.

—No le digas a Lara.

Estaba asintiendo con la cabeza cuando oímos los tres toquidos rápidos en la puerta de entrada que querían decir que era el

Águila y pensé: "Maldita sea, me cachó dos veces en una semana". Takumi señaló la regadera, así que nos metimos juntos y cerramos la cortina; la regadera, por estar demasiado baja, nos escupía agua de la caja torácica hacia abajo. Al vernos forzados a pararnos más cerca de lo que era necesario, permanecimos allí, en silencio; la regadera escupidora empapó lentamente nuestras camisetas y pantalones de mezclilla durante varios largos minutos, mientras esperábamos que el vapor elevara el humo hacia los respiraderos. Sin embargo, el Águila nunca tocaba a la puerta del baño, así que después de un rato Takumi cerró la llave de la regadera. Yo abrí la puerta del baño un poquito, me asomé y vi al Coronel sentado en el sofá de hule espuma, con los pies subidos en la MESA PARA CAFÉ, terminando la carrera Nascar de Takumi. Abrí la puerta y Takumi y yo salimos, totalmente vestidos y empapados.

—Bueno, he ahí algo que no se ve todos los días —dijo el Coronel con gesto imperturbable.

—¿Qué fregados haces? —pregunté.

—Toqué como el Águila para espantarlos —sonrió—. Pero vaya, si necesitan privacidad, sólo dejen una nota en la puerta la próxima vez.

Takumi y yo nos reímos y luego Takumi dijo:

—Sí, el Gordo y yo nos estábamos poniendo un poco irritables, pero vaya, desde que nos bañamos juntos, Gordo, de verdad me siento cerca de ti.

—Así qué, ¿cómo te fue? —pregunté. Me senté en la MESA PARA CAFÉ y Takumi se tiró en el sofá junto al Coronel, ambos mojados y con cierto frío, pero más preocupados por la conversación entre el Coronel y Jake que en secarnos.

—Fue interesante. He aquí lo que necesitan saber: él le dio esas flores, como pensamos. No se pelearon. Él sólo llamó porque había prometido llamarle en el momento exacto de su aniversario de ocho meses, que era a las tres cero dos de la mañana, lo que, pongámonos de acuerdo, es un poco ridículo, y creo que de algún modo ella oyó timbrar el teléfono. Así que hablaron de nada durante algo así como cinco minutos y luego, completamente de la nada, ella enloqueció.

—¿Completamente de la nada? —preguntó Takumi.

—Déjame consultar mis notas —el Coronel pasó las hojas de su cuaderno—. Bien. Jake dice: "¿Tuviste un buen aniversario?". Y luego Alaska le respondió: "Tuve un aniversario espléndido" —y en la lectura del Coronel pude oír la emoción de su voz, la manera en que ella resaltaba ciertas palabras como "espléndido" y "fantástico" y "absolutamente"—. Luego hubo silencio y Jake le preguntó: "¿Qué estás haciendo?". Alaska le contestó: "Nada, sólo estoy garabateando". Luego dijo: "¡Oh, Dios! ¡Mierda, mierda, mierda!", se suelta a llorar y le dice que le habla después, pero no dice que lo vaya a ir a visitar y Jake no piensa que ella fuera para allá. No sabe a dónde iba ella, pero dice que siempre preguntaba si podía ir a verlo y esa vez no preguntó, así que no cree que fuera a ir para allá. A ver, déjenme encontrar la cita.

Le dio vuelta a las hojas de su cuaderno.

—Está bien, aquí está. "Ella dijo que me llamaría después, no que me vería."

—A mí me dice "Continuará" y al él le dice que hablará con él después —observé.

—Sí. Observación anotada. Tenía planes para un futuro. Esto nos hace pensar que resulta incongruente con el suicidio. Entonces regresa a su cuarto gritando sobre algo que olvidó. Y luego su loca carrera llega a su fin. Así que no hay respuestas, en realidad.

—Bueno, ya sabemos a dónde no iba.

—A menos que tuviera particularmente un impulso —dijo Takumi. Me miró—. Y según parece, sí andaba bastante impulsiva esa noche.

El Coronel me miró con curiosidad y yo asentí.

—Sí —dijo Takumi—, ya sé.

—Bien, entonces. Tú estabas molesto, pero luego tomaste un regaderazo con el Gordo y ya hicieron las paces. Excelente. Así que esa noche... —continuó el Coronel.

Intentamos reproducir la conversación de esa última noche lo mejor que pudimos para Takumi, pero ninguno de nosotros se acordaba muy bien que digamos, en parte porque el Coronel estaba borracho y yo no estaba prestando atención hasta que empezó con lo de "Verdad o desafío". De cualquier modo, no sabíamos lo que podría significar. Las últimas palabras siempre son más difíciles de recordar cuando nadie sabe que alguien está a punto de morir.

—Quiero decir —continuó el Coronel—, creo que ella y yo hablábamos sobre cuánto me encanta andar en patineta en la computadora y cómo nunca se me ocurriría intentar treparme en una patineta en la vida real. Luego ella dijo: "Juguemos Verdad o desafío", y tú te la cogiste.

—Un momento, ¿te la cogiste? ¿En frente del Coronel? —gritó Takumi.

—No me la cogí.

—Cálmense, chicos —dijo el Coronel, alzando las manos hacia arriba—. Es un eufemismo.

—¿De qué? —preguntó Takumi.

—De besarse.

—Es un eufemismo brillante —Takumi miró hacia arriba—. ¿Soy el único que piensa que esto puede ser significativo?

—Sí, a mí nunca se me ocurrió antes —dije, con cara de palo—. Pero ahora, no sé. No le dijo a Jake. No podría haber sido tan importante.

—Quizá la culpa la atormentaba —dijo Takumi.

—Jake dijo que ella sonaba normal en el teléfono antes de enloquecer —dijo el Coronel—. Pero debe haber sido esa llamada telefónica. Algo sucedió que no estamos viendo.

El Coronel pasó las manos por su gruesa cabellera, con un dejo de frustración.

—Dios, algo. Algo pasó dentro de ella. Y ahora sólo tenemos que saber qué fue.

—Así que sólo tenemos que leer la mente de una persona muerta —dijo Takumi—. Bastante fácil.

—Precisamente. ¿Quieres emborracharte? —me preguntó el Coronel.

—No tengo ganas de beber —contesté.

El Coronel metió la mano en las profundidades de hule espuma del sofá y sacó la botella de Gatorade de Takumi. Takumi tampoco quería, pero el Coronel sólo sonrió burlón y dijo:

—Más para mí —y le entró.

TREINTA Y SIETE DÍAS DESPUÉS

Al siguiente miércoles me topé literalmente con Lara después de la clase de Religión.

Había visto a Lara, claro está. La había visto casi todos los días, en la clase de Inglés o sentada en la biblioteca susurrando con su compañera de cuarto, Katie. La veía en la comida y la cena en la cafetería y probablemente la habría visto en el desayuno, si alguna vez me hubiera levantado a esa hora. De seguro, ella también me había visto, pero hasta esa mañana no nos habíamos encontrado.

Para ahora, yo suponía que me habría olvidado. Después de todo, sólo fuimos novios como un día, si bien uno memorable. Pero cuando choqué contra su hombro izquierdo mientras iba apresurado rumbo a la clase de Precálculo, ella giró y me miró enojada, pero no porque hubiéramos chocado.

—Lo siento —solté de sopetón y ella me miró con los ojos entrecerrados, como alguien que está o a punto de pelearse o de llorar. Luego desapareció en silencio hacia un salón de clases. Eran las primeras palabras que le decía en un mes.

Quería hablar con ella. Sabía que me había portado horroroso. "Imagínate", me repetía una y otra vez, "si tú fueras Lara, con una amiga muerta y un ex novio silencioso", pero yo solamente tenía espacio para una pasión verdadera y esa pasión estaba muerta y yo quería saber el *cómo* y el *porqué*; Lara no me lo podía decir y eso era todo lo que me importaba.

CUARENTA Y CINCO DÍAS DESPUÉS

Durante semanas, el Coronel y yo habíamos dependido de la caridad para sostener nuestro hábito del cigarro: todos, desde Molly Tan hasta Longwell Chase, que alguna vez tuvo un corte militar, nos habían dado cajetillas gratis o baratas. Era como si la gente quisiera ayudar y no pudiera pensar en una mejor manera. Pero, para finales de febrero, se nos acabó la caridad. Ya era tiempo, en realidad. Yo nunca me sentía bien de aceptar los regalos de la gente, porque ellos no sabían que nosotros habíamos cargado las balas y puesto la pistola en la cabeza.

Así que después de clase, Takumi nos condujo a Licores Coosa, Satisfacemos tus necesidades espirituosas. Esa tarde, Takumi y yo obtuvimos los desalentadores resultados de nuestro primer examen fuerte de Precálculo del semestre. Quizá porque Alaska ya no estaba disponible para enseñarnos Precálculo sobre una pila de papas a la francesa de McIncomible o quizá porque ninguno de nosotros había estudiado en realidad y ambos estábamos en peligro de que enviaran reportes de progreso a nuestras casas.

—La cosa es que Precálculo no me resulta muy interesante —dijo Takumi, como un hecho.

—Puede resultar difícil explicarle eso al director de admisiones de Harvard —respondió el Coronel.

—Francamente no lo sé. A mí me resulta bastante apremiante —dije.

Nos reímos; pero las risas se vieron arrastradas hacia un silencio espeso, penetrante, y sabía que todos estábamos pensando en ella, muerta y sin risa, fría, no más Alaska. La idea de que Alaska no existiera aún me azoraba cuando pensaba en ello. "Se está pudriendo bajo la tierra de Vine Station, Alabama", pensé, pero ni siquiera era eso del todo. Su cuerpo estaba allí, pero ella no estaba en ningún lado, nada, ¡zas!

Los momentos que parecían ser los más felices ahora siempre eran seguidos por la tristeza, porque cuando la vida se empezaba a sentir como cuando estábamos con ella, nos dábamos cuenta de que se había ido total y completamente.

Compré los cigarros. Yo nunca había entrado a Licores Coosa, pero el lugar era tan desolador como Alaska lo había descrito. El piso polvoriento de madera rechinaba mientras avanzabas hacia el mostrador y vi un gran barril lleno de agua nauseabunda que decía almacenar carnada viva, pero que contenía un verdadero cardumen de pececitos muertos, flotantes. La mujer detrás del mostrador me sonrió con sus cuatro dientes cuando le pedí una caja de Marlboro Lights.

—¿Tú vas a Culver Creek? —me preguntó y no supe si responderle con la verdad, ya que ningún alumno de preparatoria tendría diecinueve años de seguro, pero ella tomó la caja de cigarros y la puso en el mostrador sin pedir una identificación, así que contesté:

—Sí, señora.

—¿Cómo van en la escuela? —preguntó.

—Bastante bien —contesté.

—Oí que tuvieron una muerte por allá.

—Sí, seño —dije.

—Siento mucho oír eso.

—Sí, seño.

La mujer, cuyo nombre no supe porque éste no era el tipo de establecimiento comercial que desperdiciara dinero en gafetes, tenía un pelo blanco, largo, que le crecía de un lunar en la mejilla izquierda. No era lo que se dice asqueroso, pero no podía yo dejar de mirarlo y luego mirar para otro lado.

De regreso en el coche, le entregué una cajetilla de cigarros al Coronel.

Bajamos las ventanas, aun cuando el frío de febrero me mordió la cara y el fuerte viento hacía imposible la conversación. Me senté en mi cuarta parte del coche y fumé, preguntándome por qué la vieja de Licores Coosa no se arrancaba ese pelo del lunar. El viento soplaba contra mi cara al entrar por la ventana que había bajado Takumi frente a mí. Me moví hacia la mitad del asiento trasero y miré al Coronel sentado al revés, sonriendo, con el rostro hacia el viento que soplaba a través de su ventana.

CUARENTA Y SEIS DÍAS DESPUÉS

Yo no quería hablar con Lara, pero al día siguiente, en la comida, Takumi me espetó la cantaleta máxima de culpabilidad.

—¿Cómo crees que se sentiría Alaska con esto? —preguntó mientras miraba a Lara, del otro lado de la cafetería. Estaba sentada a tres mesas de nosotros con su compañera de cuarto, Katie, que le estaba contando alguna historia, y Lara sonreía cada vez que Katie se reía de alguno de sus propios chistes. Lara levantó una porción de granos de elote de lata con el tenedor y la sostuvo arriba de su plato, acercando la boca hacia ésta e inclinando la cabeza hacia el regazo para tomar la porción del tenedor: una comensal tranquila.

—Podría hablarme —le dije a Takumi.

Takumi meneó la cabeza. Con la boca abierta, pegajosa por el puré de papas, dijo:

—Tú tienes que hacerlo —y pasó su bocado—. Déjame preguntarte algo, Gordo. Cuando estés viejo y canoso y tus nietos estén sentados en tus rodillas y te miren y pregunten: "Abuelito, ¿quién te dio tu primera mamada?", ¿quieres decirles que fue una chica a la que ignoraste el resto de la preparatoria? ¡No! —sonrió—. Querrás decirles: "Mi querida amiga Lara Buterskaya. Preciosa chica. Mucho más bonita que su abuela" —me reí. Así que, ni modo. Tenía que hablar con Lara.

Después de clases, caminé a la habitación de Lara y toqué. En seguida, ella estaba en la puerta mirándome como si preguntara: "¿Qué? ¿Ahora qué? Ya hiciste el daño que podías, Gordo". Miré por encima de su hombro, a la habitación a la que había entrado sólo una vez, en donde había aprendido que, nos besáramos o no, no podía hablarle, y antes de que el silencio se volviera demasiado incómodo, hablé.

—Lo siento —dije.

—¿Por qué? —preguntó, mirando aún hacia mí pero no a mí.

—Por ignorarte. Por todo —contesté.

—No tenías que ser mi novio.

Se veía tan bonita, con sus grandes ojos parpadeando rápido, sus mejillas suaves y redondas. Aún así, la redondez sólo me podía recordar el rostro delgado de Alaska y sus pómulos altos. Pero podía vivir con ello y, de cualquier manera, tenía que hacerlo.

—Podías haber sido sólo mi amigo —dijo.

—Lo sé. La regué. Lo siento.

—No perdones a ese imbécil —gritó Katie desde el interior de la habitación.

—Te perdono —Lara sonrió y me abrazó; sus manos apretaron la curva de mi espalda. Rodeé con los brazos sus hombros y olí violetas en su cabello.

—Yo no te perdono —dijo Katie, apareciendo en la entrada.

Y aun cuando Katie y yo no nos conocíamos bien, ella sintió la suficiente confianza para golpearme con la rodilla en los huevos.

Luego sonrío y, al doblarme, dijo:

—Ahora sí te perdono.

Lara y yo caminamos al lago, sin Katie, y platicamos. Platicamos sobre Alaska y el mes anterior, sobre cómo ella había tenido que extrañarme a mí y a Alaska, mientras que yo sólo había tenido que extrañar a Alaska (lo que era cierto). Le dije lo más cercano a la verdad que pude, desde los cohetes hasta lo del Departamento de Policía de Pelham y sobre los tulipanes blancos.

—La amaba —dije. Lara contestó que ella la amaba también y yo dije:

—Lo sé, pero es por eso. La amaba y cuando murió no podía pensar en nada más. Lo sentía deshonesto, como cuando engañas a alguien.

—Ésa no es una buena razón —dijo ella.

—Lo sé —contesté.

—Bueno, entonces está bien — se rió suavemente—. Siempre y cuando lo sepas.

Sabía que no iba a borrar ese enojo, pero al menos estábamos hablando.

Esa noche, a medida que llegó la oscuridad, las ranas croaban y unos cuantos insectos recién resucitados zumbaban por los terrenos de la escuela. Los cuatro, Takumi, Lara, el Coronel y yo, caminamos por la luz gris, fría de la luna llena hasta llegar al Agujero para fumar.

—Oye, Coronel, ¿por qué lo llaman el Agujero para fumar? —preguntó Lara—. Es como un túnel.

—Es, más bien, semejante a un agujero para pescar —dijo el Coronel—. Digo, si pescáramos, lo haríamos desde aquí. Pero nosotros fumamos. No lo sé. Me parece que Alaska fue la que le puso el nombre.

El Coronel sacó un cigarro de su cajetilla y lo lanzó al agua.

—¿Qué rayos haces? —pregunté.

—Por ella —me contestó.

Medio sonreí y seguí su ejemplo: le tiré un cigarro a Alaska. Le pasé a Takumi y a Lara los cigarros y ellos también lo hicieron. Los cigarrillos rebotaron y danzaron en la corriente unos minutos para luego flotar lejos de la vista.

Yo no era religioso, pero me gustaban los rituales. Me gustaba la idea de relacionar una acción con la memoria. En China, nos había dicho el Anciano, hay días reservados para limpiar las tumbas, en donde se hacen obsequios a los muertos. Y yo imaginé que Alaska querría un cigarrillo, así que me pareció que el Coronel había empezado un ritual excelente.

El Coronel escupió hacia la corriente y rompió el silencio.

—Es algo curioso hablar con los fantasmas —comentó—. No sabes si estás inventando sus respuestas o si de verdad te están hablando.

—Yo digo que hagamos una lista —dijo Takumi, alejándose de los temas de introspección—. ¿Qué tipo de pruebas tenemos de que pudo haber sido suicidio?

El Coronel sacó su cuaderno omnipresente.

—Nunca metió los frenos —mencioné, y el Coronel comenzó a anotar.

Y estaba terriblemente perturbada por algo, aunque había estado muy perturbada sin que intentara suicidarse muchas veces antes. Pensamos que quizá las flores eran algún tipo de homenaje para ella misma, como un arreglo funerario o algo así. Pero eso no nos pareció algo que haría Alaska. Era críptica, claro, pero si vas a planear tu suicidio cuidando todos los detalles, hasta las flores, probablemente tengas un plan realista de cómo vas a morirte y Alaska no tenía manera de saber que una patrulla iba a estar presente sobre la carretera I–65 en esa ocasión.

¿Y la evidencia que sugería que fue un accidente?

—Estaba realmente tomada, así que quizá pensó que no iba a golpear la patrulla, aunque no sé cómo —dijo Takumi.

—Pudo haberse quedado dormida —opinó Lara.

—Sí, hemos pensado en eso —dije—. Pero no creo que sigas manejando derecho si te quedas dormido.

—No se me ocurre una manera de averiguarlo que no ponga en riesgo nuestras vidas —aseveró el Coronel con el rostro sin expresión—. De todos modos, no mostraba señales de advertencia de suicidio. Digo, no hablaba sobre querer morir ni regaló sus cosas ni nada.

—Ésas son dos. Borracha y sin planes de morir —dijo Takumi.

Esto no iba a ningún lado. Era sólo una danza diferente con la misma pregunta.

Lo que necesitábamos no era pensar más. Necesitábamos tener más evidencias.

—Tenemos que averiguar hacia dónde se dirigía —continuó el Coronel.

—Las últimas personas con quienes habló fuimos tú, yo y Jake —le dije—. Y nosotros no sabemos. Así qué, ¿cómo demonios vamos a averiguarlo?

Takumi miró al Coronel y suspiró.

—No creo que eso ayudaría, saber hacia dónde se dirigía. Creo que sólo lo empeoraría. Es sólo una corazonada.

—Bueno, mi corazón quiere saber —dijo Lara y sólo entonces me di cuenta de lo que quiso decir Takumi el día que habíamos estado juntos en la regadera: yo podía haberla besado, pero en realidad no tenía el monopolio sobre Alaska; el Coronel y yo no éramos los únicos a quienes les importaba Alaska ni tampoco estábamos solos en eso de tratar de averiguar cómo y por qué murió.

—Bueno, no importa —dijo el Coronel—, llegamos a un punto muerto. Así que alguno de ustedes piense en algo qué hacer, porque a mí se me acabaron los instrumentos de investigación.

Lanzó la colilla de su cigarro al arroyo, se puso de pie y se fue. Lo seguimos. Aun en la derrota, seguía siendo el Coronel.

CINCUENTA Y UN DÍAS DESPUÉS

Con la investigación detenida, empecé de nuevo a leer para la clase de Religión, lo cual pareció complacer al Anciano, cuyos exámenes sorpresa había estado reprobando en forma constante durante seis semanas seguidas.

Tuvimos uno ese miércoles por la mañana: Comparte un ejemplo de un koan budista. Un koan es como una adivinanza que se supone debe ayudarte a alcanzar la iluminación en el budismo zen.

En mi respuesta, escribí sobre un tipo, Banzan, que iba caminando un día por el mercado cuando escuchó a alguien pedirle a un carnicero su mejor trozo de carne. El carnicero le contestó: "Todo lo que hay en mi tienda es lo mejor. No puedes encontrar un trozo de carne que no sea el mejor". Al oír esta respuesta Banzan entendió que no hay mejor ni peor, que esos juicios no tienen un significado real porque sólo existe lo que existe y ¡zas! alcanzó la iluminación.

Leyéndolo la noche anterior, me pregunté si sería así para mí, si en un momento por fin la entendería, la conocería y comprendería el papel que desempeñé en su muerte. Sin embargo, no estaba convencido de que la iluminación le cayera a uno encima como un rayo.

Después de pasar nuestros exámenes sorpresa, el Anciano, sentado, tomó su bastón e hizo un ademán hacia la pregunta de Alaska ya medio despintada en el pizarrón.

—Veamos una frase en la página noventa y cuatro de esta introducción tan entretenida al zen que les pedí que leyeran esta semana. "Todo lo que se une se deshace", dijo el Anciano. Todo. La silla sobre la cual estoy sentado fue labrada; por lo tanto, se deshará. Yo me desharé, probablemente antes que esta silla. Y ustedes se desharán. Las células, los órganos y aparatos que los conforman se juntaron, crecieron y por ende, deberán deshacerse. El Buda sabía una cosa que la ciencia no probó sino hasta milenios después de su muerte: la entropía se incrementa. Las cosas se deshacen.

"Todos nos vamos", pensé, y se aplica a las tortugas y a los cuellos de tortuga, a Alaska la joven y a Alaska el lugar, porque nada puede durar, ni siquiera la Tierra misma. El Buda dijo que el sufrimiento era causado por el deseo, habíamos aprendido, y que el cese del deseo significaba el cese del sufrimiento. Al dejar de desear que las cosas no se deshicieran, dejabas de sufrir cuando lo hacían.

"Algún día nadie recordará que ella alguna vez existió", escribí en mi cuaderno, y luego, "o que yo lo hice". Porque los recuerdos también se deshacen. Y luego nada te queda, ni siquiera un fantasma, tan sólo su sombra. Al principio, rondaba en mi cabeza, rondaba en mis sueños, pero incluso ahora, apenas unas semanas después, se estaba yendo, se empezaba a deshacer en mi recuerdo y en el de todos los demás, muriendo de nuevo.

El Coronel, quien había conducido la investigación desde el principio, a quien le había importado lo que le sucediera a ella cuando a mí todo lo que me había importado era si ella me amaba, se había dado por vencido, sin respuestas.

Y a mí no me gustaban las respuestas que tenía: a Alaska ni siquiera le había importado lo suficiente aquello que sucedió entre nosotros para decírselo a Jake; en vez de eso, sólo había hablado con él toda linda, sin darle razones para pensar que, minutos antes, yo había probado su respiración alcoholizada. Y luego, algo imperceptible se quebró dentro de ella y aquello que se había unido comenzó a deshacerse.

Y ésa era quizá la única respuesta que tendríamos alguna vez. Ella se deshizo porque eso es lo que sucede.

El Coronel parecía resignado a eso, pero si la investigación había sido su idea, ahora era lo que me sostenía y yo seguía esperando ser iluminado.

SESENTA Y DOS DÍAS DESPUÉS

El siguiente domingo dormí hasta que la luz del sol de los últimos minutos de la mañana se coló en rebanadas a través de las persianas y encontró el camino hasta mi rostro. Jalé el edredón y me lo puse sobre la cabeza, pero el aire se volvió caliente y viciado, así que me levanté para llamar a mis padres.

—¡Miles! —adivinó mi madre antes de que yo le dijera siquiera hola—. Acabamos de instalar un identificador de llamadas.

—¿Uno que sabe mágicamente que soy yo el que llama desde el teléfono de monedas?

—No, simplemente dice "teléfono de monedas" —se rio— y trae el código de área. Así que lo deduje. ¿Cómo estás? —me preguntó, con una preocupación cálida en su voz.

—Estoy bien. La regué un poco en algunas de mis clases durante un tiempo, pero ya volví a ponerme a estudiar, así que debo salir bien —dije, y casi todo era cierto.

—Sé que ha sido difícil para ti, amigo —dijo—. ¡Ah! Adivina a quién vimos tu papá y yo en una fiesta anoche. ¡A la profesora Forrester, tu maestra de cuarto de primaria! ¿La recuerdas? Ella se acordaba de ti perfectamente, habló muy bien de ti y estuvimos platicando —mientras me agradaba saber que la profesora Forrester tenía en alta estima mi desempeño de cuarto año, sólo escuchaba a medias mientras leía las notas garabateadas en la pared de pino pintada de blanco a ambos lados del teléfono, buscando alguna nueva que pudiera descifrar ("Lacy's: viernes, 10, sonaba al *dónde* y *cuándo* de una fiesta de Guerreros Semaneros", pensé)— ...cenamos con los Johnston anoche y me temo que papá tomó demasiado vino. Jugamos charadas y él resultó muy, pero muy terrible.

Se rio y yo me sentí muy cansado, pero alguien había arrastrado la banca lejos del teléfono de monedas, así que senté mi huesudo trasero sobre el concreto duro, estiré bien el cable plateado del teléfono y me preparé para un soliloquio de mi mamá cuando, allí, abajo de todas las demás notas y garabatos, vi el dibujo de una flor. Doce pétalos oblongos formaban un círculo completo contra la pintura color blanco margarita y margaritas, margaritas blancas. Podía oírla diciendo: "¿Qué ves, Gordo? Mira", y podía verla sentada borracha al teléfono, hablando con Jake sobre nada: "¿Qué estás haciendo?" y ella contesta: "Nada, garabateando, sólo garabateando". Y luego: "¡Oh, Dios!".

—¿Miles?

—Sí, mamá. Lo siento. Chip está aquí. Tenemos que ponernos a estudiar. Me tengo que ir.

—¿Nos llamas más tarde entonces? Estoy segura de que papá quiere hablar contigo.

—Sí, mamá; sí, claro. Los quiero, ¿sí? Ya tengo que irme.

—¡Creo que encontré algo! —le grité al Coronel, invisible debajo de su cobija, pero la urgencia en mi voz y la promesa de algo, cualquier cosa encontrada, despertó de inmediato al Coronel, quien brincó de su litera al linóleo. Antes de que pudiera decir lo que fuera, tomó los pantalones de mezclilla y la sudadera del día anterior que estaban tirados en el suelo, se los puso y me siguió afuera.

—Mira —señalé, se puso en cuclillas junto al teléfono y dijo:

—Sí, ella lo dibujó. Siempre estaba dibujando esas flores.

—Y, "sólo garabateando", ¿recuerdas? Jake le preguntó qué estaba haciendo y ella contestó: "Sólo garabateando". Luego ella dijo: "¡Oh, Dios!" y enloqueció. Miró el garabato y recordó algo.

—Buena memoria, Gordo —reconoció, y me pregunté por qué el Coronel no se emocionaba con eso.

—Luego enloqueció —repetí, y fue por los tulipanes mientras nosotros íbamos por los cohetes. Vio el garabato, recordó lo que se le había olvidado y luego enloqueció.

—Quizá —dijo, mirando fijamente la flor, quizá intentando verla como ella la había visto. Finalmente se puso de pie y notó:

—Es una teoría sólida, Gordo —extendió el brazo y me dio palmaditas en el hombro, como un entrenador que da un cumplido a un jugador—. Pero seguimos sin saber qué fue lo que olvidó.

SESENTA Y NUEVE DÍAS DESPUÉS

Una semana después del descubrimiento de la flor garabateada, me resigné a su insignificancia —después de todo, no era Banzan en el mercado de carnes— y conforme los maples alrededor de la escuela empezaban a dar señales de resurrección y el equipo de mantenimiento comenzaba a podar el pasto en el círculo de dormitorios de nuevo, me pareció que finalmente la habíamos perdido.

El Coronel y yo entramos al bosque por el lago esa tarde y fumamos un cigarro en el lugar preciso en donde el Águila nos había pescado tiempo antes. Veníamos llegando de una "asamblea del pueblo", en donde el Águila anunció que la escuela iba a construir un parque de juegos junto al lago en memoria de Alaska. A ella le gustaban los columpios, cierto, pero ¿un parque de juegos? Lara se puso de pie en la asamblea (de seguro era la primera vez que lo hacía) y dijo que debían haber hecho algo más gracioso, algo que Alaska misma habría hecho.

Ahora sentados junto al lago, sobre un tronco musgoso a medio podrir, el Coronel me dijo:

—Lara estaba en lo correcto. Deberíamos hacer algo por ella. Una travesura. Algo que le hubiera encantado.

—¿Algo así como una travesura en honor de...?

—Exacto. La travesura en honor de Alaska Young. Podemos hacerla una celebración anual. De todos modos, a ella se le ocurrió esta idea el año pasado. Pero quiso guardarla para que fuera nuestra travesura del último año. Pero es buena. Buena de verdad. Es histórica.

—¿Me la vas a contar? —le dije, recordando la vez que él y Alaska me habían dejado fuera de la planeación de la travesura para la "Noche del granero".

—Seguro —dijo—. La travesura se denomina "Subvertir el paradigma patriarcal".

Y me contó, y tengo que decirlo, Alaska nos dejó la joya suprema de las travesuras, la Mona Lisa de la hilaridad de la preparatoria, la culminación de generaciones de travesuras en Culver Creek. Si el Coronel podía sacarla adelante, quedaría grabada en la memoria de todos en el Creek, y Alaska se merecía nada menos que eso. Lo mejor de todo era que, técnicamente, no incluía ningún desacato que mereciera la expulsión.

El Coronel se puso de pie y se sacudió la tierra y el musgo de los pantalones.

—Creo que le debemos eso.

Estuve de acuerdo, pero de todos modos, ella nos debía una explicación. Si estaba allá arriba, allá abajo, allá afuera, en alguna parte, quizá se reiría. Y quizá, sólo quizá, nos daría la pista que necesitábamos.

OCHENTA Y TRES DÍAS DESPUÉS

Dos semanas después, el Coronel regresó de las vacaciones de primavera con dos cuadernos llenos hasta el último detalle de la planeación de la travesura, esbozos de varias ubicaciones y una lista de cuarenta páginas, a dos columnas, de los problemas que podrían surgir y sus soluciones. Calculó todos los tiempos incluso en décimas de segundo y todas las distancias hasta el último centímetro; luego volvió a calcularlos, como si no pudiera soportar la idea de volver a fallarle a Alaska. Después, ese domingo, el Coronel se despertó tarde y se dio la vuelta. Yo estaba leyendo *El sonido y la furia*, que se suponía tendría que haber leído a mediados de febrero, y miré hacia arriba al oír el ruido de las sábanas; el Coronel dijo:

—Reunamos de nuevo a la banda.

Así que me lancé afuera, hacia la primavera nublada, para despertar a Lara y a Takumi y los traje de regreso a la habitación 43. El equipo de la "Noche del granero" estaba intacto, o tanto como lo podría estar, para la Travesura en Memoria de Alaska Young.

Los tres nos sentamos en el sofá mientras el Coronel se ponía de pie ante nosotros con una emoción que no le había visto antes, para presentarnos el plan y las partes que desempeñaríamos cada uno. Al terminar, sugirió:

—¿Alguna pregunta?

—Sí —dijo Takumi—. ¿Eso de verdad va a funcionar?

—Bueno, primero tenemos que encontrar a un estríper. Segundo, el Gordo tiene que hacer algo de magia con su papá.

—Está bien, entonces —dijo Takumi—. Manos a la obra.

OCHENTA Y CUATRO DÍAS DESPUÉS

Cada primavera, Culver Creek se tomaba una tarde de viernes libre y todos los alumnos, el cuerpo docente y el personal, tenían que presentarse en el gimnasio para el Día de los Oradores. Ese día se invitaba a dos oradores, por lo general pequeñas celebridades o pequeños políticos o pequeños académicos: el tipo de personas que van a una escuela a hablar por los mugres trescientos dólares que la escuela les paga. El penúltimo grado elegía al primer orador y los del último grado, al segundo, y cualquiera que hubiera asistido a un Día de los Oradores estaba de acuerdo en que era aburrido hasta la tortura. Nosotros planeábamos sacudir un poco el Día de los Oradores.

Todo lo que necesitábamos hacer era convencer al Águila de que dejara al "doctor William Morse", un "amigo de mi papá" y un "prominente erudito en el tema del comportamiento sexual en los adolescentes", presentarse como el orador de la clase del decimoprimer grado.

Así que llamé a mi papá al trabajo y su secretario, Paul, me preguntó si todo estaba bien y yo me preguntaba por qué todos, todos, me preguntaban si todo estaba bien cuando llamaba yo a cualquier hora que no fuera domingo por la mañana.

—Sí, estoy bien.

Mi papá levantó la bocina.

—Hola, Miles. ¿Está bien todo?

Me reí y hablé en voz baja por teléfono, porque había gente arremolinándose por ahí.

—Sí, papá. Todo está bien. Oye, ¿recuerdas cuando te robaste la campana de la escuela y la enterraste en el cementerio?

—La más grande travesura de Culver Creek que haya habido —respondió con orgullo.

—Lo fue, papá. Lo fue. Así que, escucha, quería ver si me ayudarías con la nueva más grande travesura que haya habido en Culver Creek.

—Oh, no lo sé, Miles. No querría que te metieras en problemas.

—Pues mira, no lo haré. Toda la clase de decimoprimero lo está planeando. Y nadie va a salir lastimado ni nada. Porque, bueno, ¿recuerdas el Día de los Oradores?

—Dios, qué aburrido era eso. Era casi peor que ir a clase.

—Sí, bueno, necesito que finjas ser nuestro orador, el doctor William Morse, un profesor de psicología de la Universidad de Florida Central y experto en el comportamiento sexual en adolescentes.

Guardó silencio mucho rato y mientras yo miraba hacia abajo, a la última margarita dibujada por Alaska y esperaba que preguntara cuál era la travesura —y le hubiera dicho—, sólo lo oí respirar lentamente en la bocina del teléfono.

Después respondió:

—Ni siquiera voy a preguntar. Mmm —suspiró—, júrame por Dios que nunca le dirás nada a tu madre.

—Lo juro por Dios.

Hice una pausa. Me llevó un segundo recordar el verdadero nombre del Águila.

—El señor Starnes te va a llamar como en diez minutos.

—Está bien. ¿Mi nombre es el doctor William Morse y soy profesor de psicología y... sexualidad adolescente?

—Ajá. Eres el mejor, papá.

—Sólo quiero ver si ustedes lo pueden hacer mejor que yo —dijo, riendo.

Aun cuando al Coronel le purgaba que así fuera, la travesura no funcionaría sin la ayuda de los Guerreros Semaneros, en especial del presidente de la clase de decimoprimer año, Longwell Chase, a quien para estas alturas ya le había crecido de nuevo su boba mata de surfeador. Pero a los Guerreros les encantó la idea, así que me reuní con Longwell en su habitación y dije:

—Vamos.

Longwell Chase y yo no teníamos nada de qué hablar y ningún deseo de fingir lo contrario, así que caminamos en silencio a la casa del Águila. El Águila apareció en la puerta antes de que tocáramos. Ladeó un poco la cabeza cuando nos vio, como confundido, porque sí: formábamos una pareja extraña, con los pantalones color caqui planchados y con pliegues de Longwell y mis pantalones azules de mezclilla que algún día tendría que lavar.

—El orador que elegimos es un amigo del papá de Miles —dijo Longwell—, el doctor William Morse. Es profesor en una universidad en Florida y estudia la sexualidad adolescente.

—Ah, buscamos crear controversia, ¿no?

—Oh, no —dije—. Conozco al doctor Morse. Es interesante, pero no controversial. Él sólo estudia la, eh, la manera en que el entendimiento sexual de los adolescentes sigue cambiando y creciendo. Digo, está en contra del sexo premarital.

—Bueno. ¿me puedes decir cuál es su teléfono? —le di al Águila un pedazo de papel, caminó hacia un teléfono empotrado en la pared y marcó:

—Sí, hola. Quisiera hablar con el doctor Morse... Sí, gracias... Bueno, doctor Morse. Tengo a Miles Halter aquí en mi casa y me está diciendo que... fantástico, fabuloso... Bueno, me preguntaba si —el Águila hizo una pausa, enredando el cable en un dedo—, me preguntaba, supongo, si usted... siempre y cuando entienda que éstos son jóvenes impresionables. No querríamos discusiones explícitas... Excelente. Excelente. Me da gusto que me entienda... Usted también, señor. ¡Lo veré pronto!

El Águila colgó el teléfono, sonriendo, y dijo:

—¡Buena elección! Parece un hombre muy interesante.

—Vaya que lo es —dijo Longwell con mucha seriedad—. Creo que será muy interesante.

CIENTO DOS DÍAS DESPUÉS

Papá hizo el papel del doctor Morse en el teléfono, pero el hombre que iba a representarlo se llamaba Maxx con doble x, aunque su nombre era, de hecho, Stan, excepto el Día de los Oradores, en que evidentemente sería el doctor William Morse. Era un verdadero caso de crisis existencial de identidad, un estríper masculino con más alias que un agente oculto de la CIA.

Las primeras cuatro "agencias" a las que llamó el Coronel nos mandaron a volar. No fue sino hasta que llegamos a la F en la sección de Entretenimiento de la Sección Amarilla que encontramos la empresa Fiestas de Solteras Somos Nosotros. Al propietario de ese lugar le gustó mucho la idea, pero dijo:

—A Maxx le va a encantar eso, pero nada de desnudarse. No enfrente de los chicos.

Accedimos, un poco renuentes.

Para asegurarnos de que no expulsaran a nadie, Takumi y yo recolectamos cinco dólares de cada uno de los alumnos del decimoprimer grado en Culver Creek para cubrir la cuota de aparición del "doctor William Morse", dudando que el Águila quisiera pagarle después de atestiguar el, eh, discurso. Yo puse los cinco dólares del Coronel.

—Siento que me he ganado tu caridad —dijo, señalando los cuadernos de arillos que había llenado con planes.

Esa mañana, sentado en clase, no podía pensar en ninguna otra cosa. Todos los alumnos de decimoprimer grado en la escuela lo sabían desde hacía dos semanas, y no habían corrido ni el más mínimo rumor. Pero el Creek estaba repleto de chismes, sobre todo en torno a los Guerreros Semaneros, y si una sola persona le decía a un amigo que le dijera a un amigo que le dijera a un amigo que le dijera al Águila, todo se vendría abajo.

La ética de no delatar del Creek aguantó bastante bien la prueba, pero cuando Maxx/Stan/doctor Morse no había aparecido a las 11:50 de la mañana ese día, pensé que el Coronel perdería la cabeza. Estaba sentado sobre la defensa de un coche en el estacionamiento de alumnos, con la cabeza inclinada, corriendo las manos por su gruesa mata de cabello oscuro una y otra vez, como si tratara de encontrar algo allí. Maxx había prometido llegar a las 11:40, veinte minutos antes del inicio oficial del Día de los Oradores, para que le diera tiempo de aprenderse el discurso y todo. Yo estaba de pie junto al Coronel, preocupado pero en silencio, esperando. Habíamos enviado a Takumi a llamar a "la agencia" para averiguar en dónde estaba "el artista".

—De todas las cosas que pensé que podían salir mal, ésta no era una de ellas. No tenemos solución para ésta.

Takumi se acercó corriendo, con cuidado de no hablarnos hasta encontrarse cerca de nosotros. Los chicos empezaban a entrar en el gimnasio. Tarde, tarde, tarde, tarde. Le habíamos pedido tan poco a nuestro artista, en realidad. Le habíamos escrito su discurso. Le habíamos planeado todo. Lo único que Maxx tenía que hacer era aparecer con su traje puesto. Y aún así...

—La agencia —dijo Takumi— dice que el artista viene en camino.

—¿En camino? —dijo el Coronel, restregándose el pelo con renovado vigor—. ¿En camino? Ya viene tarde.

—Dicen que debe... —y de pronto desaparecieron nuestras preocupaciones al ver una pequeña camioneta azul dar vuelta en la esquina hacia el estacionamiento; adentro venía un hombre con un traje.

—Más vale que ése sea Maxx —dijo el Coronel mientras el coche se estacionaba. Trotó hasta el coche.

—Soy Maxx —dijo el tipo, abriendo la puerta.

—Yo soy un representante sin rostro y sin nombre de la clase del decimoprimer grado —respondió el Coronel, dándole la mano a Maxx. Tenía treinta y tantos años, piel tostada y hombros anchos, con una mandíbula fuerte y una barbita de chivo oscura, recortada.

Le proporcionamos a Maxx una copia de su discurso, el cual leyó rápidamente.

—¿Alguna pregunta? —dije.

—Eh, sí. Dada la naturaleza de este evento, creo que deberían pagarme por anticipado.

Me pareció muy cuadrado, incluso como profesor, y sentí una confianza suprema, como si Alaska nos hubiera encontrado al mejor estríper masculino de toda Alabama central y nos hubiera conducido directo a él.

Takumi abrió la cajuela de su camioneta y tomó una bolsa de papel del súper con $320 dólares adentro.

—Aquí tienes, Maxx —dijo—. Mira, el Gordo aquí presente se va a sentar junto a ti, porque tú eres amigo de su papá. Eso viene en el discurso. Pero, eh, esperamos que si te interrogan cuando termine todo esto, puedas decir que la clase entera de decimoprimer grado te habló en una llamada tipo conferencia para contratarte. No querríamos meter al Gordo en ningún problema.

—A mí me suena bien —se rio—. Acepté esta chamba porque es sensacional. Ojalá se me hubiera ocurrido esto en la prepa.

Al entrar al gimnasio, con Maxx/el doctor William Morse a mi lado, y Takumi y el Coronel bastante detrás de mí, supe que era más fácil que me atraparan a mí que a cualquier otra persona. Pero había estado leyendo el Manual de Culver Creek con sumo cuidado las últimas dos semanas y me recordaba a mí mismo mi defensa de dos partes en caso de que me metiera en problemas: 1) Técnicamente, no hay ninguna regla en contra de pagarle a un estríper para que baile enfrente de los alumnos. 2) No es posible probar que yo fui responsable del incidente. Únicamente se puede probar que yo traje a la escuela a una persona que se suponía era un experto en el comportamiento sexual en la adolescencia, quien resultó ser un verdadero desviado sexual.

Me senté con el doctor William Morse a mitad de la fila delantera de las gradas. Algunos chicos del noveno grado se sentaron atrás de mí, pero cuando el Coronel entró con Lara un momento después, de manera cortés les dijo: "Gracias por guardarnos nuestros lugares", y se deshizo de ellos. Según el plan, Takumi estaba en la sala de provisiones en el segundo piso, conectando su equipo de estéreo a las bocinas del gimnasio. Yo me volteé con el doctor Morse y le dije:

—Deberíamos vernos con gran interés y hablar como si fuera usted amigo de mis padres.

Él sonrió y asintió con la cabeza.

—Tu padre es un gran hombre, ejemplar Y tu madre... tan hermosa.

Miré hacia arriba, un poco asqueado. No obstante, me caía bien este estríper. El Águila llegó a las doce en punto, saludó al orador de la clase del decimosegundo grado, un antiguo procurador general del estado de Alabama, y luego se acercó al doctor Morse, quien se puso de pie con gran aplomo y medio se inclinó al darle la mano al Águila, quizá demasiado formal, y el Águila dijo:

—Sin duda estamos muy contentos de tenerlo aquí —a lo que Maxx contestó—: "Gracias, espero no desilusionarlos".

A mí no me preocupaba que me expulsaran. Ni siquiera me preocupaba que expulsaran al Coronel, aunque quizá debía haberlo estado. Me preocupaba que no funcionara porque Alaska no lo había planeado. Quizá ninguna travesura digna de ella podía lograrse bien sin ella.

El Águila se colocó detrás del podio.

—Éste es un día de significado histórico en Culver Creek. Fue la idea de nuestro fundador Phillip Garden, que ustedes, como alumnos, y nosotros, como cuerpo docente, podamos tomarnos una tarde al año para beneficiarnos de la sabiduría de las voces que están fuera de la escuela y por eso nos reunimos aquí cada año para aprender de ellos, para ver el mundo como otros lo ven. Hoy, el orador de la clase de decimoprimer año es el doctor William Morse, profesor de psicología en la Universidad de Florida Central y un erudito muy respetado. Está aquí el día de hoy para hablar sobre adolescentes y sexualidad, un tema que estoy seguro les será de gran interés. Así que, por favor, ayúdenme a darle la bienvenida al doctor Morse al podio.

Aplaudimos. Mi corazón latía dentro de mi pecho como si también quisiera aplaudir. A medida que Maxx caminaba hacia el podio, Lara se inclinó y me susurró:

—Está buenísimo.

—Gracias, señor Starnes —Maxx sonrió y asintió con la cabeza en dirección al Águila; luego enderezó sus papeles y los colocó sobre el podio. Incluso yo casi creí que era un profesor de psicología. Me pregunté si era posible que fuera un actor que así aumentaba sus ingresos.

Leyó directamente el discurso sin alzar la vista, pero leyó con el tono seguro y frívolo de un académico un poco altanero.

—Estoy aquí el día de hoy para hablarles sobre el fascinante tema de la sexualidad adolescente. Mi investigación se basa en el campo de la lingüística sexual, específicamente en la manera en que los jóvenes hablan del sexo y las preguntas relacionadas con eso. Así que, por ejemplo, estoy interesado en por qué el hecho de que yo diga la palabra *brazo* puede no hacerlos reír, pero el que diga yo la palabra *vagina*, sí puede.

Y sí, había algunas risitas nerviosas de parte del público.

—La manera en que los jóvenes hablan sobre los cuerpos de los demás dice mucho sobre nuestra sociedad. En el mundo de hoy, es mucho más probable que los chicos vean los cuerpos de las chicas como objetos que al revés. Los chicos se dirán entre ellos que Fulanita tiene un buen trasero, mientras que las chicas son más propensas a decir que un chico es simpático, un término que describe características físicas y emocionales. En el primer caso tiene el efecto de volver a las chicas meros objetos, mientras que en el segundo las chicas ven a los chicos como personas completas...

Luego Lara se puso de pie y, con su acento inocente y delicado, interrumpió al doctor William Morse.

—¡Está usted buenísimo! ¡Ojalá que se callara y se quitara la ropa!

Los alumnos se rieron, pero todos los profesores se voltearon y la miraron, azorados y en silencio. Ella se sentó.

—¿Cómo te llamas, querida?

—Lara —contestó.

—Ahora, Lara —dijo Maxx, mirando sus hojas para acordarse de la línea—, lo que tenemos aquí es un estudio clínico muy interesante, una fémina viéndome como objeto a mí, un varón. Es tan poco común que lo único que puedo suponer es que estás intentando ser graciosa.

Lara se puso de pie de nuevo y gritó:

—¡No es broma! Quítese la ropa.

Él miró, nervioso, su discurso, y luego nos miró a todos, sonriendo.

—Bueno, sin duda es importante subvertir el paradigma patriarcal, y supongo que ésta es una manera. Está bien, entonces —dijo, pasando al lado izquierdo del podio. Y luego gritó, lo suficientemente fuerte para que Takumi lo oyera arriba:

—Ésta es por Alaska Young.

Cuando empezó a sonar el bajo rápido y batiente de la canción *Get Off* de Prince en los altavoces, el doctor William Morse se agarró la pierna de los pantalones con una mano y la solapa del saco; con la otra se separó el velcro y su disfraz se abrió, revelando a Maxx con dos *x*, un hombre asombrosamente fornido, de estómago bien definido y músculos pectorales prominentes. Y Maxx permaneció de pie ante nosotros, sonriendo, mientras vestía solamente calzones que con seguridad estaban apretados pero no eran blancos, sino de cuero negro.

Con los pies en su lugar, Maxx mecía los brazos al ritmo de la música; la multitud soltó la carcajada y un aplauso ensordecedor y sostenido: la ovación más larga por mucho en la historia del Día de los Oradores.

El Águila se puso de pie en un segundo y, en cuanto lo hizo, Maxx dejó de bailar, pero flexionó los músculos pectorales de manera que brincaran arriba y bajó rápidamente al ritmo de la música antes de que el Águila, sin sonreír pero succionando los labios hacia dentro como si no sonreír requiriera esfuerzo, indicara con un dedo pulgar que Maxx debería irse a casa, cosa que Maxx hizo.

Con la vista seguí a Maxx que salía por la puerta y vi a Takumi parado en la entrada, con los puños en el aire en señal de triunfo, antes de que saliera corriendo para arriba a quitar la música. Me dio gusto que hubiera podido ver cuando menos una parte del espectáculo.

Takumi tuvo bastante tiempo para sacar su equipo, porque las risas y la conversación siguieron durante varios minutos, al tiempo que el Águila repetía una y otra vez:

—Bien. Bien. Vamos a calmarnos ahora. Cálmense todos.

El orador de la clase de decimosegundo año habló a continuación. No recibió mucha atención. Al salir del gimnasio, los que no eran de decimoprimer año se nos arremolinaban, preguntando:

—¿Fueron ustedes? —yo sonreía y decía no, porque no había sido yo, ni el Coronel ni Takumi ni Lara ni Longwell Chase ni nadie más en ese gimnasio. Había sido la travesura de Alaska de principio a fin. "La parte más difícil de hacer travesuras", me dijo Alaska una vez, "es no poder confesar". Pero ahora podía confesarlo de parte de ella. Y al salir lentamente del gimnasio, le dije a cualquiera que quisiera oír:

—No, no fuimos nosotros. Fue Alaska.

Los cuatro regresamos a la habitación 43, radiantes por el éxito, convencidos de que el Creek nunca más vería una travesura semejante, y ni siquiera se me ocurrió que podría meterme en problemas hasta que el Águila abrió la puerta de nuestra habitación y se quedó allí, de pie, ante nosotros y meneó la cabeza con desdén.

—Sé que fueron todos ustedes —dijo el Águila.

Lo miramos en silencio. Con frecuencia fanfarroneaba. Quizá estaba fanfarroneando.

—Nunca más hagan algo así —dijo—. Pero, señor, "subvertir el paradigma patriarcal": es como si ella hubiera escrito el discurso.

Sonrió y cerró la puerta.

CIENTO CATORCE DÍAS DESPUÉS

Una semana y media después, iba yo caminando hacia mis clases de la tarde, sintiendo el sol sobre mi piel como un recordatorio constante de que la primavera en Alabama había llegado y se había ido en cuestión de horas y que en esos momentos, a principios de mayo, el verano había regresado para una visita de seis meses; sentí cómo el sudor me escurría por la espalda y anhelé los amargos vientos de enero. Cuando llegué a mi habitación, encontré a Takumi sentado sobre el sofá, leyendo mi biografía de Tolstoi.

—Eh, hola —dije.

Cerró el libro, lo colocó junto a él y dijo:

—10 de enero.

—¿Qué? —pregunté.

—10 de enero. ¿Te suena a algo?

—Sí, es el día que murió Alaska.

Técnicamente, había muerto el 11 de enero como a las tres de la mañana, pero para nosotros, seguía siendo la noche del lunes 10 de enero.

—Sí, pero hay otra cosa, Gordo. El 9 de enero, la mamá de Alaska la llevó al zoológico.

—Espera. No. ¿Cómo supiste eso?

—Ella nos lo dijo la "Noche del granero". ¿Recuerdas?

Por supuesto que no me acordaba. Estoy seguro que si pudiera recordar números, no me estaría esforzando para sacar un 8 en Precálculo.

—¡En la madre! —dije al tiempo que entraba el Coronel.

—¿Qué? —preguntó.

—El 9 de enero de 1997 —le contesté—. A Alaska le gustaron los osos. A su madre le gustaron los monos.

El Coronel me miró en blanco un momento, luego se quitó la mochila y la lanzó hasta el otro lado del cuarto con un solo movimiento.

—¡En la madre! —dijo—. ¡Por qué demonios no se me ocurrió a mí eso!

En sólo un minuto, el Coronel ya tenía la mejor solución que acaso se nos fuera a ocurrir a cualquiera de nosotros alguna vez.

—Está bien. Ella está durmiendo. Jake llama y ella habla con él. Está garabateando, mira su flor blanca y piensa "¡Oh, Dios!, a mi mamá le gustaban las flores blancas y me las ponía en el pelo cuando era chiquita". Luego enloquece. Regresa a su cuarto y empieza a gritarnos que se le olvidó, se le olvidó su mamá, por supuesto, así que toma las flores y sale de la escuela, manejando, camino a... ¿hacia dónde? —me mira a mí—. ¿A dónde? ¿A la tumba de su mamá?

—Sí, quizá, probablemente —asentí—. Sí. Entonces, se mete en el carro y sólo quiere llegar a la tumba de su mamá, pero hay un camión doblado a la mitad y la patrulla. Ella está tomada, enfurecida y a la carrera, así que calcula que puede pasar por el hueco que deja la patrulla y ni siquiera está pensando con coherencia, pero tiene que llegar hasta su mamá y de algún modo cree que puede lograrlo y ¡zas!

Takumi asiente con la cabeza, lentamente, pensando, y luego dice:

—O se mete al coche con las flores, pero ya se perdió el aniversario. Probablemente está pensando que volvió a regarla con su mamá. Primero no llama al número de urgencias y ahora ni siquiera se pudo acordar del maldito aniversario. Está furiosa, se detesta ella misma y decide: "Ya tuve suficiente. Lo voy a hacer". Ve la patrulla y su oportunidad, y va y la toma.

El Coronel extendió la mano hacia su bolsillo y sacó una cajetilla de cigarros, dándole golpecitos de cabeza contra la MESA PARA CAFÉ.

—Bueno —dijo—, eso aclara bien las cosas.

CIENTO DIECIOCHO DÍAS DESPUÉS

Así que nos dimos por vencidos. Finalmente yo ya había tenido suficiente con corretear a un fantasma que no quería que lo encontrara. Habíamos fracasado, tal vez, pero algunos misterios ocurren para no ser resueltos. Todavía no la conocía como quería hacerlo, pero nunca lo haría. Ella lo volvió imposible para mí. Y el *accicidio*, el *suicidente*, nunca sería nada más, y a mí me quedó sólo preguntar: "¿Te ayudé a llegar a un destino que no querías, Alaska, o tan sólo te auxilié en tu autodestrucción premeditada?". Porque son crímenes distintos y yo no sabía si sentirme enojado con ella por hacerme parte de su suicidio o solamente sentirme enojado conmigo mismo por dejarla ir.

Pero sabíamos lo que se podía averiguar y, hacerlo, nos había acercado más al Coronel, a Takumi y a mí, al menos. Y eso era todo. No me dejó lo suficiente para descubrirla, pero me dejó lo suficiente para redescubrir el Gran quizá.

—Hay una cosa más que debemos hacer —dijo el Coronel, mientras jugábamos un juego de video con el sonido encendido— sólo nosotros dos, como en los primeros días de la investigación.

—No hay nada más que podamos hacer.

—Quiero pasar por el sitio, manejando —dijo—, tal como ella lo hizo.

No podíamos arriesgarnos a salir de los terrenos de la escuela a mitad de la noche como lo había hecho ella, así que salimos como doce horas antes, a las tres de la tarde, con el Coronel detrás del volante de la camioneta de Takumi. Le pedimos a Lara y a Takumi que nos acompañaran, pero se habían cansado de corretear fantasmas y, además, ya faltaba poco para los exámenes finales.

Era una tarde luminosa y el sol se abatía sobre el asfalto, de modo que la franja de carretera ante nosotros se estremecía de calor. Condujimos un kilómetro y medio por la autopista 119 y luego nos conectamos con la I-65, rumbo al norte, dirigiéndonos al lugar del accidente y hacia Vine Station.

El Coronel manejaba rápido e íbamos en silencio, mirando de frente. Intenté imaginar lo que ella podía haber ido pensando, intentando una vez más ver a través del tiempo y el espacio, entrar en su cabeza durante sólo un momento. Una ambulancia, con las luces y la sirena a todo lo que daban, nos pasó a gran velocidad, en dirección contraria, yendo hacia la escuela y, por un instante, sentí una emoción nerviosa; pensé: "Podría ser alguien conocido". Casi deseé que fuera alguien conocido, a fin de darle una nueva forma y profundidad a la tristeza que todavía sentía.

El silencio se rompió:

—A veces me gustaba que estuviera muerta —dije.

—¿Quieres decir que te sentías bien?

—No. No lo sé. Me sentía... puro.

—Sí —dijo, soltando su elocuencia habitual—. Lo sé. También a mí me pasaba. Es natural. Digo, debe ser natural.

Siempre me impresionaba darme cuenta que no era la única persona que pensaba y sentía cosas tan extrañas y terribles.

A ocho kilómetros de la escuela, el Coronel se pasó al carril izquierdo de la I–65, la carretera entre estados, y comenzó a acelerar. Apreté la mandíbula y allí, delante de nosotros, vidrios rotos brillaban en el resplandor del sol como si el camino trajera puesta joyería, y ese sitio debía ser el sitio. Él seguía acelerando.

Pensé: "Ésta no sería una mala manera de irse".

Pensé: "Derechito y rápido. Quizá lo decidió en el último segundo".

Y ¡zas!, habíamos pasado por el momento de su muerte. Manejamos hacia el lugar por donde ella no pudo pasar, pasando al asfalto que ella nunca vio, y no estamos muertos. ¡No estamos muertos! Estamos respirando, llorando, bajando la velocidad y regresando al carril derecho.

Tomamos la siguiente salida, en silencio, y, cambiando conductores, caminamos frente al coche. Nos encontramos, y yo lo abracé con mis puños apretados en sus hombros; él me envolvió con sus brazos cortos y me apretó duro, de manera que sentí el subibaja de su pecho mientras nos dábamos cuenta, una y otra vez, que todavía estábamos vivos. Yo me fui dando cuenta en oleadas y nos aferramos uno al otro llorando. Pensé: "Dios mío, seguro nos vemos muy tontos", pero eso no importa mucho cuando te acabas de dar cuenta, después de todo ese tiempo, que sigues vivo.

CIENTO DIECINUEVE DÍAS DESPUÉS

El Coronel y yo nos entregamos al trabajo escolar una vez que nos dimos por vencidos, sabiendo que ambos necesitaríamos salir con honores en los exámenes finales para lograr nuestras metas en los promedios generales de aprovechamiento (yo quería un 3.0 y el Coronel no iba a aceptar ni siquiera un 3.98). Nuestra habitación se convirtió en la Central de Estudios para los cuatro, con Takumi y Lara hasta altas horas de la noche hablando sobre *El sonido y la furia*, la meiosis y la Batalla del Bulge. El Coronel nos enseñó el equivalente a un semestre de Precálculo, aun cuando era demasiado bueno en matemáticas para enseñarlo muy bien: "Claro que tiene sentido. Confíen en mí. Dios, si no es tan difícil", pero yo extrañaba a Alaska.

Cuando no me podía poner al día, hacía trampa. Takumi y yo compartíamos copias de los libritos con extractos de novelas para *Things Fall Apart* y *A Farewell to Arms* ("¡Estas cosas son demasiado largas, maldita sea!", exclamó un día).

No hablábamos mucho. Pero no era necesario.

CIENTO VEINTIDÓS DÍAS DESPUÉS

Una brisa fresca había amainado el violento embate del verano y por la mañana, cuando el Anciano nos dio los exámenes finales, sugirió que tomáramos la clase afuera. Me pregunté por qué podíamos tener una clase entera afuera cuando el semestre pasado me habían echado de clase por apenas mirar hacia fuera, pero el Anciano quería tener la clase afuera, así que eso hicimos. El Anciano se sentó en una silla que Kevin Richman sacó para él y nosotros nos sentamos en el pasto. Mi libreta se tambaleaba sobre mis piernas, primero, y luego sobre el pasto verde grueso; la tierra pedregosa no se prestaba para escribir y los mosquitos revoloteaban. Estábamos demasiado cerca del lago para estar cómodos, en realidad, pero el Anciano se veía contento.

—Aquí tengo su examen final. El semestre pasado, les di casi dos meses para completar su ensayo final. Esta vez, tienen dos semanas.

Hizo una pausa.

—Bueno, no hay nada que hacer con eso, me parece.

Se rio.

—A decir verdad, apenas anoche decidí utilizar este tema para el ensayo. De hecho, va más bien contra mi naturaleza. De todos modos, voy a pasárselos.

Cuando el montón llegó a mí, leí la pregunta:

¿Cómo harás, tú personalmente, para salir de este laberinto de sufrimiento? Ahora que has lidiado con tres de las tradiciones religiosas principales del mundo, aplica tu mente recién iluminada a la pregunta de Alaska.

Después de distribuir los exámenes, el Anciano dijo:

—No necesitan argumentar las perspectivas específicas de las distintas religiones para su ensayo, así que no hay investigación necesaria. Su conocimiento, o la falta del mismo, se ha establecido conforme a los exámenes sorpresa que han resuelto este semestre. Estoy interesado en cómo pueden relacionar el hecho incontestable del sufrimiento en su entendimiento del mundo, y cómo esperan navegar en la vida a pesar de éste. El año próximo, siempre y cuando mis pulmones resistan, estudiaremos el taoísmo, hinduismo y judaísmo juntos... —el Anciano tosió y luego empezó a reír, lo que hizo que tosiera de nuevo—. Dios, quizá no dure. Pero sobre las tres tradiciones que hemos estudiado este año, quisiera decir una cosa. El islam, el cristianismo y el budismo tienen todos figuras fundadoras, Mahoma, Jesucristo y el Buda, respectivamente. Y al pensar en estas figuras fundadoras, soy de la creencia que debemos concluir que cada una trajo un mensaje de esperanza radical. A la Arabia del siglo VII, Mahoma trajo la promesa de que cualquiera podía encontrar satisfacción y vida eterna a través de la fidelidad al único Dios verdadero. El Buda, por su parte, ofrecía la esperanza de que el sufrimiento pudiera trascenderse. En cambio, Jesús trajo el mensaje de que el último sería el primero, que incluso los recaudadores de impuestos y los leprosos, los parias, podían tener esperanzas. Y, por ende, ésa es la pregunta con la que los dejo para este examen final: ¿Cuál es su razón para tener esperanza?

De vuelta en la habitación 43, el Coronel se puso a fumar dentro. Aun cuando todavía me quedaba una noche de lavar platos en la cafetería para pagar con trabajo mi convicción de fumador, no temíamos mucho al Águila. Nos quedaban quince días de clase y si nos pescaban, sólo tendríamos que empezar el último año escolar con algunas horas de trabajo.

—Así que, ¿cómo saldremos de este laberinto, Coronel? —pregunté.

—Si tan sólo lo supiera —contestó.

—Con eso probablemente no sacarás un 10.

—Ni tampoco le dará reposo a mi alma.

—O a la de ella —dije.

—Cierto. La había olvidado —meneó la cabeza—. Eso sucede cada vez más a menudo.

—Bueno, tienes que escribir algo —le discutí.

—Después de todo este tiempo, me sigue pareciendo que "derechito y rápido" es la única manera de salir, pero yo elijo el laberinto. El laberinto apesta, pero lo prefiero.

CIENTO TREINTA Y SEIS DÍAS DESPUÉS

Dos semanas después todavía no había terminado mi examen final para el Anciano y el semestre estaba a veinticuatro horas de concluir. Iba caminando a casa después de mi último examen; si bien había sido una batalla difícil contra el Precálculo, a final de cuentas esperaba que fuera exitosa y que me otorgaría la calificación de 9 que con tanto ímpetu deseaba. Afuera hacía un genuino calor de nuevo, tan cálido como había sido ella. Y yo me sentía bien. Al día siguiente vendrían mis padres, cargarían mis cosas en el coche y asistiríamos juntos a la graduación; luego regresaríamos a Florida. El Coronel regresaría a casa con su madre a pasar el verano viendo crecer los frijoles de soya, pero yo podría llamarlo por larga distancia, así que estaríamos en contacto a menudo. Takumi se iba a Japón a pasar el verano y a Lara la conducirían a casa en la limusina verde. Justo estaba pensando que estaba bien no saber exactamente en dónde estaría Alaska y a dónde fue exactamente esa noche, cuando abrí la puerta de mi habitación y vi una hoja de papel doblada sobre el piso de linóleo. Era una sola hoja de papel para correspondencia color verde lima. Hasta arriba, en caligrafía itálica, decía:

"Del escritorio de... Takumi Hikohito
    Gordo/Coronel:
    "Siento no haber hablado con ustedes antes. No me quedo a la graduación. Salgo para Japón mañana por la mañana. Durante mucho tiempo estuve enojado con ustedes. La manera como me dejaron fuera de todo me lastimó, así que me guardé lo que sabía

para mis adentros. Sin embargo, después, incluso cuando ya no estaba enojado, seguía sin decir nada y ni siquiera sé bien por qué. Al Gordo le había tocado ese beso, supongo. Y yo tenía este secreto.

"En su mayoría, lo han descifrado, pero la verdad es que yo la vi esa noche. Me había quedado despierto hasta tarde con Lara y con otras personas y a esa hora me estaba quedando dormido, cuando la oí llorar fuera de mi ventana trasera. Eran como las 3:15 de la mañana, quizá, y salí y la vi ahí caminando por el campo de futbol. Intenté hablar con ella, pero llevaba prisa. Me dijo que su madre cumplía ocho años de muerta ese día y que ella siempre ponía flores en la tumba en el aniversario de su muerte, aunque ese año lo había olvidado. Estaba afuera buscando flores, pero era demasiado pronto, demasiado invernal. Así fue como supe del 10 de enero. Sigo sin saber si fue suicidio.

"Ella se veía tan triste y yo no sabía qué hacer ni qué decir. Creo que ella contaba con que yo fuera la persona que siempre haría y diría lo correcto para ayudarla, pero no pude. Pensé que sólo estaba buscando las flores. No sabía que se iba a ir. Estaba borracha, borracha a más no poder, y de verdad no se me ocurrió que fuera a manejar ni nada. Pensé que lloraría hasta quedarse dormida y luego visitaría a su mamá al día siguiente o algo así. Se alejó caminando y luego oí que se encendía el motor de un carro. No sé en qué estaba pensando.

"Así que yo también la dejé ir. Y lo siento. Ustedes saben que la amaba. Era difícil no hacerlo.

Takumi".

Salí corriendo de la habitación, como si nunca hubiera fumado un cigarro, como corrí con Takumi la "Noche del granero", de un lado al otro del círculo de dormitorios hasta llegar a su habitación, pero Takumi se había ido. Su litera la cubría el vinilo desnudo; su escritorio estaba vacío; una línea de polvo yacía donde había estado su estéreo. Se había ido y no tuve tiempo de decirle de lo que me acababa de dar cuenta: que lo perdonaba y que ella nos perdonaba, y que teníamos que perdonar para sobrevivir en el laberinto. Tantos de nosotros tendríamos que vivir con cosas hechas y cosas no hechas ese día. Cosas que no salieron bien, cosas que parecían bien en el momento porque no podíamos ver el futuro. Si tan sólo pudiéramos ver la interminable cadena de consecuencias que resultan de nuestras acciones más pequeñas. Pero no podemos hacer mejor las cosas hasta que hacerlas mejor resulte inútil.

Y conforme caminaba de regreso para darle la nota de Takumi al Coronel, me percaté de que yo nunca sabría. Nunca la conocería lo suficiente para saber sus pensamientos en esos últimos minutos, nunca sabría si nos dejó a propósito. Pero el no saber no evitaría que me importara y que siempre amara a Alaska Young, mi retorcida vecina, con todo mi retorcido corazón.

Regresé a la habitación 43 pero el Coronel aún no llegaba, así que le dejé la nota en la litera de arriba, me senté frente a la computadora y escribí mi manera de salir del laberinto:

"Antes de llegar aquí, durante mucho tiempo pensé que la manera de salir del laberinto era fingir que no existía, construir un mundo pequeño, autosuficiente, en un rincón trasero del interminable dédalo y fingir que no estaba perdido, sino en casa. Pero eso sólo me condujo a una vida solitaria, acompañado únicamente por las últimas palabras de los que ya habían muerto, así que llegué aquí buscando un Gran quizá, amigos reales y una vida más que menor. Luego metí la pata y el Coronel metió la pata y Takumi metió la pata y ella se nos fue cuando no estábamos prestando atención. Y no hay manera de decir las cosas que suene menos fuerte: ella se merecía mejores amigos.

"Cuando ella falló hace muchos años, cuando era una niña pequeña aterrada hasta la parálisis, cayó en el enigma de ella misma. Y yo podía haber hecho lo mismo, pero vi a dónde la condujo a ella. Así que todavía creo en el Gran quizá y puedo creerlo a pesar de haberla perdido.

"Porque la olvidaré, sí. Aquello que se unió se deshará de manera lenta, imperceptible. Y yo olvidaré, pero ella perdonará mi olvido, así como yo la perdono por olvidarme a mí y al Coronel y a todos los demás, excepto a ella misma y a su madre en los últimos momentos que vivió como persona. Ahora sé que me perdona por ser tonto y temeroso y hacer aquello que era tonto y temeroso. Sé que me perdona, así como su madre la perdona a ella. Y es así como sé:

"Al principio pensé que estaba solamente muerta. Sólo oscuridad. Sólo un cuerpo al que se estaban comiendo los bichos. Pensé mucho en ella de esa manera, como si fuera el almuerzo de alguien. Lo que había sido ella, los ojos verdes, la sonrisa medio burlona, las curvas suaves de sus piernas, pronto serían nada, sólo los huesos que nunca vi. Pensé en el lento proceso de convertirse en huesos y luego en fósil y luego en carbón, el cual, millones de años después, sería extraído de las minas por los humanos del futuro. Ellos calentarían sus hogares con ella y ella sería el humo que saldría ondulante de una chimenea, recubriendo la atmósfera. A veces pienso todavía que quizá la "vida después de la vida" es sólo algo que inventamos para aminorar el dolor de la pérdida, para volver soportable nuestro tiempo en el laberinto. Quizá era sólo materia y la materia se recicla.

"Pero, a fin de cuentas, no creo que haya sido sólo materia. El resto de ella se debe reciclar también. Ahora creo que somos más grandes que la suma de nuestras partes. Si tomas el código genético de Alaska y añades sus experiencias y las relaciones que tuvo con la gente y luego tomas el tamaño y la forma de su cuerpo, no la podrías concebir de nuevo. Habría algo más del todo. Hay una parte de ella más grande que la suma de sus partes conocidas. Y esa parte se tiene que ir a algún lado, porque no se puede destruir.

"Aun cuando nadie me acusara de ser un buen alumno de ciencias, una cosa que aprendí de esa clase es que la energía nunca se crea ni se destruye. Y si Alaska dio cuenta de su propia vida, ésa es la esperanza que desearía poderle haber dado. Olvidar a su madre, fallarle a su madre y a sus amigos y a ella misma, son todas cosas horrorosas, pero no necesitaba plegarse y autodestruirse. Esas cosas horrorosas pueden sobrevivirse, porque somos tan indestructibles como queramos creerlo. Cuando los adultos dicen: 'Los adolescentes piensan que son invencibles', con esa sonrisa mañosa y estúpida en sus rostros, no saben cuán en lo correcto están. Necesitamos no perder nunca la esperanza, porque nunca nos rompemos de modo irreparable. Pensamos que somos invencibles porque lo somos. No podemos nacer y no podemos morir. Como toda la energía, sólo podemos cambiar formas, tamaños y manifestaciones. Ellos olvidan eso al envejecer. Temen perder y fracasar. Pero esa parte nuestra, más grande que la suma de nuestras partes, no puede nacer y no puede morir, así que no puede fracasar.

"Así que sé que ella me perdona, como yo la perdono a ella. Las últimas palabras de Thomas Alva Edison fueron: 'Es muy hermoso allá'. No sé dónde quede allá, pero creo que es en alguna parte, y espero que sea hermoso."

ALGUNAS ÚLTIMAS PALABRAS
ACERCA DE LAS ÚLTIMAS PALABRAS

Al igual que al Gordo Halter, a mí me fascinan las últimas palabras. Para mí, esto comenzó cuando tenía doce años. Leyendo un libro de texto de historia, me encontré las palabras del presidente John Adams en su lecho de muerte: "Thomas Jefferson todavía vive". (Y a propósito, no era así. Jefferson había muerto más temprano ese mismo día, el 4 de julio de 1826; las últimas palabras de Jefferson fueron: "¿Hoy es el día Cuatro?".)

No puedo saber por qué me siguen interesando las últimas palabras ni por qué nunca dejé de buscarlas. Es cierto que de verdad me encantaron las últimas palabras de John Adams cuando tenía doce años. Pero también me encantaba una chica llamada Whitney. La mayoría de los amores no duran. (Whitney sin duda no duró. Ni siquiera me puedo acordar de su apellido.) Pero algunos lo hacen.

Otra cosa que no puedo afirmar a ciencia cierta es que todas las últimas palabras citadas en este libro sean definitivas. Casi por definición, las últimas palabras son difíciles de verificar. Los testigos están cargados de emociones, el tiempo revuelve las cosas y el orador no está allí para aclarar cualquier controversia. He intentado ser preciso, pero no me sorprende que haya un debate sobre las dos citas centrales de *Buscando a Alaska*.

SIMÓN BOLÍVAR

"¡Cómo voy a salir de este laberinto!"

En realidad, es probable que "¡Cómo voy a salir de este laberinto!" no fueran las últimas palabras de Simón Bolívar (aun cuando, históricamente, sí las dijo). Sus últimas palabras pudieron haber sido: "José, trae el equipaje. No nos quieren aquí". La fuente significativa de "¡Cómo voy a salir de este laberinto!" es también la fuente de Alaska, el libro *El general en su laberinto* de Gabriel García Márquez.

FRANÇOIS RABELAIS

"Voy en busca de un Gran quizá."

A François Rabelais se le acreditan cuatro conjuntos diferentes de últimas palabras. El *Oxford Book of Death* cita como sus últimas palabras: *a)* "Voy en busca de un Gran quizá"; *b)* (después de recibir la extrema unción) "Estoy engrasando mis botas para el último viaje"; *c)* "Vayan bajando el telón; la farsa ha terminado"; *d)* (envolviéndose en su dominó, o capa con capucha) *"Beati qui in Domino moriuntur"** El último, a propósito, era un juego de palabras, pero como está en latín, hoy en día rara vez se cita. De todos modos, yo descarto la opción *d)* porque es difícil imaginar a un François Rabelais en su lecho de muerte con la energía para hacer un juego de palabras que requiriera energía, y sobre todo, en latín. *c)* Es la cita más común, porque es chistosa, y todos adoran últimas palabras chistosas.

Yo sostengo que las últimas palabras de Rabelais fueron: "Voy en busca de un Gran quizá", en parte porque el libro —casi una

---

* Significa tanto "Benditos los que mueren en el Señor" como "Benditos los que mueren con una capa puesta".

autoridad— de Laura Ward *Famous Last Words* está de acuerdo conmigo y, en parte, porque yo creo en ellas. Yo nací en el laberinto de Bolívar y por ende debo creer en la esperanza del Gran quizá de Rabelais.

Para mayor información sobre *Buscando a Alaska*, favor de visitar mi sitio *web*: http://johngreenbooks.com

John Green

AGRADECIMIENTOS

Quiero dar los siguientes agradecimientos:

Primero, que la publicación de este libro hubiera sido imposible de no haber sido por la extraordinaria amabilidad de mi amiga, editora, cuasi agente y mentora, Ilene Cooper. Ilene es como un hada madrina, pero de verdad, y mejor vestida.

Segundo, que soy increíblemente afortunado de tener a Julie Strauss-Gabel como mi editora en Dutton; pero sobre todo, de tenerla como amiga. Julie es la editora que todo escritor sueña: es cariñosa, apasionada e indiscutiblemente brillante. Este agradecimiento es lo único en todo el libro que no pudo editar, y creo que estaremos de acuerdo con que las consecuencias de ello son evidentes.

Tercero, que Donna Brooks creyó en esta historia desde el principio e hizo mucho para darle forma. También estoy en deuda con Margaret Woollat, de Dutton, cuyo nombre tiene muchas consonantes, pero quien es en realidad una persona de primera categoría. Y gracias también a la talentosa Sarah Shumway, cuya cuidadosa lectura y certeros comentarios fueron una bendición para mí.

Cuarto, que estoy muy agradecido con mi agente, Rosemary Sandberg, quien es una incansable defensora de sus autores.

También es inglesa. Dice "vale" cuando en realidad quiere decir "de acuerdo". ¿No es increíble?

Quinto, que los comentarios de mis dos mejores amigos en todo el mundo, Dean Simakis y Will Hickman, fueron esenciales en la escritura y la revisión de esta historia, y que, eh, ya saben, los quiero.

Sexto, que estoy en deuda con, entre muchos otros, Shannon James (compañera de cuarto), Katie Else (lo prometí), Hassan Arawas (amigo), Braxton Goodrich (primo), Mike Goodrich (abogado y también primo), Daniel Biss (matemático profesional), Giordana Segneri (amiga), Jenny Lawton (larga historia), David Rojas y Molly Hammond (amigos), Bill Ott (todo un modelo a seguir), Amy Krouse Rosenthal (me consiguió trabajo en una estación de radio), Stephanie Zvirin (me dio mi primer empleo de verdad), P.F. Kluge (maestro), Diane Martin (maestra), Perry Lentz (maestro), Don Rogan (maestro), Pail MacAdam (maestra, soy un gran fanático de los maestros), Ben Segedin (jefe y amigo) y la encantadora Sarah Urist.

Séptimo, que asistí a la preparatoria con un montón de gente maravillosa. Quisiera agradecer en particular al indomable Todd Cartee, así como a Olga Charny, Sean Titone, Emmet Cloud, Daniel Alarcón, Jennifer Jenkins, Chip Dunkin y MLS.

J.G.

Impreso en los talleres de
Quad/Graphics Querétaro, S. A. de C. V.
Fracc. Agro Industrial La Cruz,
El Marqués Querétaro, México.
Septiembre de 2014.